vol. 1
opening《オープニング》
D.Gray-man《ディー・グレイマン》
HOSHINO 星野桂 KATSURA
JUMP COMICS

D.Gray-man《ディー・グレイマン》

vol.1

opening《オープニング》

CONTENTS

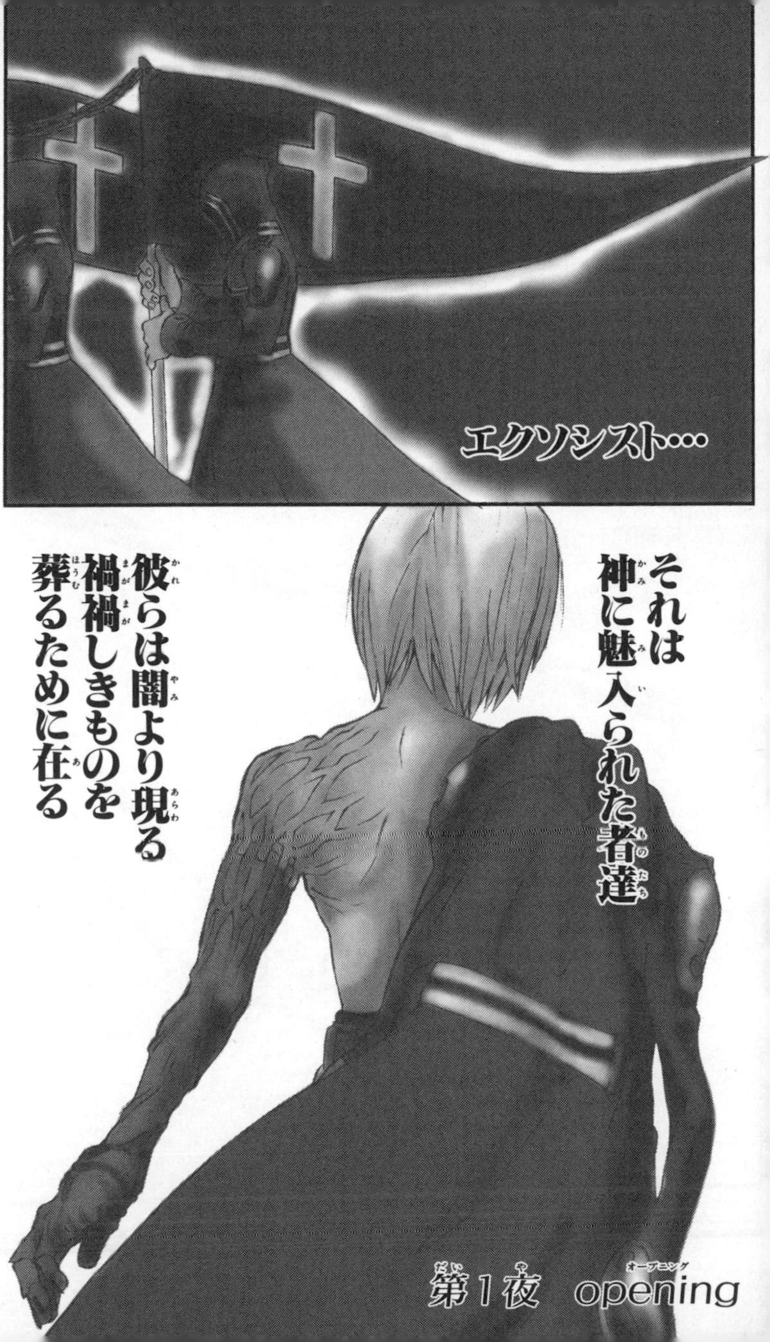
エクソシスト…
それは神《かみ》に魅《み》入《い》られた者達《ものたち》
彼《かれ》らは闇《やみ》より現《あらわ》る禍禍《まがまが》しきものを葬《ほうむ》るために在《あ》る
第《だい》1夜《や》　opening《オープニング》

第《だい》1夜《や》　opening《オープニング》

ねえ 知《し》ってる？ この教会《きょうかい》で 人《ひと》が何人《なんにん》も 消《き》えてるんだって
ここ 今《いま》は 使《つか》われてないから お金《かね》のない旅人《たびびと》が よく泊《と》まるんだ
そして 朝《あさ》になると 旅人《たびびと》の姿《すがた》はなく 服《ふく》だけが残《のこ》ってる
呪《のろ》われてるんだよ だって ここ 2年前《ねんまえ》にも事故《じこ》で ………
仮想《かそう》19世紀末《せいきまつ》
そこは 蒸気《じょうき》に紛《まぎ》れ 奇怪《きかい》な事件《じけん》が 起《お》こり始《はじ》めていた

モア!
ほ ほんとに入《はい》るのか!?
町《まち》の人《ひと》からこの教会《きょうかい》について苦情《くじょう》が殺到《さっとう》してるの!
人間《にんげん》が消《き》えただのなんだの
知《し》ってる
呪《のろ》われてんだろ ここ?
ぶるぶるぶる
チャールズ…それが警官《けいかん》の台詞《セリフ》?
どうせ誰《だれ》かが流《なが》したタチの悪《わる》いホラよ調《しら》べればわかるわ
この教会《きょうかい》は呪《のろ》われてなんかない!!
わ わかったよ…
ギイイイイイイ

うわ 荒《あ》れ果《は》ててるなぁ
こんな所《とこ》に ホントに旅人《たびびと》が 泊《と》まったり するのかしら
ぎゃあ
何《なに》!?
あ 足《あし》に…
なんだ 猫《ねこ》よ
え?
なんの音《おと》…

うわ…
わああああっ
スッ
はあっ はあっ
だ大丈夫《だいじょうぶ》かモア!?
モア!?

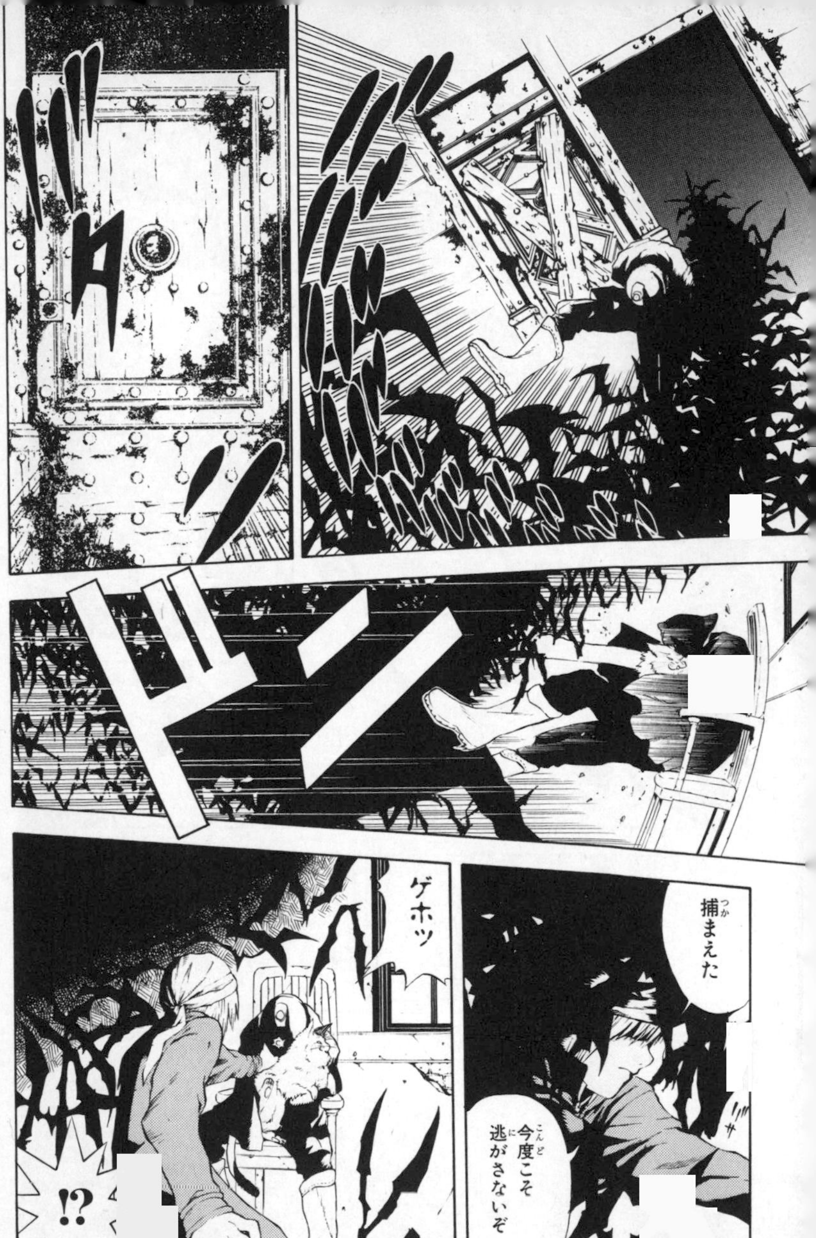
ババ
ダン
ドン
捕《つか》まえた
今度《こんど》こそ
逃《に》がさないぞ
ババサ
ゲホッ
!?

え…
に 人間《にんげん》!?
どうしてこんなトコに…
ガチン
こいつよくも…
しかも警官《けいかん》!!!
何者《なにもの》だ!!
ご ごめんなさい つい夢中《むちゅう》で気《き》づかなくて………
!
猫《ねこ》を捕《つか》まえようとしただけでして
その ただの…
旅人《たびびと》です…

へえ
ちーーーん
僕《ぼく》は今朝《けさ》
この町《まち》に来《き》たんですけど
ここの前《まえ》を
通《とお》りかかった時《とき》
ノラ猫《ねこ》に大事《だいじ》なモノを
喰《く》われちゃって
ずっと
探《さが》し回《まわ》ってたんです
ぺろぺろぺろ
ここって
そんな物騒《ぶっそう》な噂《うわさ》が
あるんですか
……………
ほ 本当《ほんとう》です
師《し》からの
預《あず》かり物《もの》で
失《な》くすわけには
いかないんです!!
師《し》?
じゃあ
その人《ひと》は
どこにいる?
え
いや…
それが
インドで
失踪《しっそう》して…
お前のせいだぞー
ごつ
子供《こども》じゃないの
変《へん》な子《こ》
……
とにかく 仲間《なかま》を
連《つ》れてくるから
待《ま》ってなさい
………

ギャアアアアア
な
何《なに》!?
ドドドドドドドドドドドド
あの
キミはここにいて!
下《した》の階《かい》からだわ!
誰《だれ》だ!!
!

チャ…
チャールズ
ススススス

ヌヌヌヌヌ
!!
これは…

ぱた
ぱた
ぱた
そんな…
まさか 噂《うわさ》は
本当《ほんとう》に…
う
な…に!?
苦《くる》し…
!?

!
気《き》をつけて この死体《したい》の 死臭《ガス》は 有毒《ゆうどく》です
アクマに 殺《ころ》されてる
あ…
お巡《まわ》りさん!?
悪魔《アクマ》…?
はっ

ガバッ
POL
おお モア 気《き》がついたか!!
はれ? ここは…?
署《しょ》だよ! 丁度《ちょうど》良《よ》かった 来《こ》い
え?
警部《けいぶ》 モア巡査《じゅんさ》が 気《き》がつきました
入《はい》れ
はっ
そうだ チャールズが…
ガタッ
わかっとる
今《いま》 容疑者《ようぎしゃ》を 取《と》り調《しら》べてる ところだ
え!?

名前《なまえ》は
アレン・ウォーカー
ちーーーん
……
どうも
住所不定《じゅうしょふてい》
無国籍《むこくせき》の
未成年者《みせいねんしゃ》
貴様《きさま》が殺《や》ったんだろ!!!
殺《や》ってませんてば!!!
なんでそうなるんですか! 僕《ぼく》は気絶《きぜつ》したお巡《まわ》りさんを ここに運《はこ》んだだけなのに
ヒドイですっ
お前《まえ》 あの教会《きょうかい》にいたんだろが! 怪《あや》しい!!
それに この手《て》! 真《ま》っ赤《か》じゃねーか 血《ち》だろ!
あ いや これは元々《もともと》…

!?
ななっ
なんだ
こりゃ…
おげぇっ!!

なんのマネだ こりゃ!
さぶイボ
十字架《じゅうじか》なんか 埋《う》め込《こ》んで 痛《いた》くねーのか!!
まったく とんだ イカレ野郎《やろう》だ!!
親《おや》から もらった体《からだ》は 大事《だいじ》にしろよ!!
あと顔色 ワリィぞ!!
あ あの!
この少年《しょうねん》は 事件《じけん》が起《お》こるまで 自分《じぶん》と一緒《いっしょ》でした
何《なに》!?
警部《けいぶ》 犯行現場《はんこうげんば》には かなり大型《おおがた》の銃器《じゅうき》と みられる弾痕《だんこん》が 残《のこ》っとります
ボソ
ボソ
しかしながら この少年《しょうねん》の所持品《しょじひん》は 猫一匹《ねこいっぴき》!
今《いま》のところ あの教会《きょうかい》から それらしい銃器《じゅうき》は 発見《はっけん》されとりません
なぜ 気絶《きぜつ》などした!!
モア・ヘッセ 巡査《じゅんさ》!!!

も
申《もう》し訳《わけ》ありません
どさっ
根性《こんじょう》でふんばらんか!
現場《げんば》にいながら犯人《はんにん》の姿《すがた》も見《み》とらんとは!!
僕《ぼく》犯人《はんにん》知《し》ってます
!?
姿《すがた》は見《み》てませんが…どういうモノか知《し》ってます
捜査《そうさ》に協力《きょうりょく》させてください
犯人《はんにん》の名称《めいしょう》は「AKUMA《アクマ》」
僕《ぼく》立場上《たちばじょう》よく出会《であ》うんです
アレは「殺人《さつじん》」の経験値《けいけんち》を積《つ》めば積《つ》むほど進化《しんか》する

まだまだ殺《ころ》します
早《はや》く止《と》めないと手《て》に負《お》えなくなりますよ
この十字架《じゅうじか》は対《たい》アクマ武器《ぶき》です
エクソシストってご存知《ぞんじ》ですか?
アクマ退治《たいじ》専門《せんもん》の聖職者《クラーヂマン》のことなんですが

警官《けいかん》が殺《ころ》されたんだってさ
KEEP OUT
ひでぇ有様《ありさま》だったらしいぜ
テク
テク
あの噂《うわさ》は本当《ほんとう》だったんだ
テク
取《と》り憑《つ》かれてんだよこの教会《きょうかい》は
マルク牧師《ぼくし》のことといいよ
え？なんですかそれ
いやなデカイ声《こえ》じゃ言《い》えねんだが…
2年前《ねんまえ》にこの教会《きょうかい》で牧師夫婦《ぼくしふうふ》が不慮《ふりょ》の事故《じこ》に遭《あ》ったんだよ

ウフフ♡ みんな脅《おび》えてル♡
我輩《わがはい》のかわいいアクマちゃん♡
もっともっと殺《ころ》して進化《しんか》するのデス♡♡

義兄《にい》さん?
ただいま
マルク義兄《にい》さん
体《からだ》の具合《ぐあい》は
どう?
すっ
ガチャリ
オカエリ
モア
今日《きょう》ハ帰《かえ》ルノ
早《はや》イネ

あ また ごはん 食《た》べてないの!?
カチャ
義兄《にい》さん 最近《さいきん》 全然《ぜんぜん》 食《た》べなくなったねェ
ダメだよ ちゃんと食《た》べなきゃ
……オナカ 一杯《いっぱい》ナンダ…
ゴメンヨ
デモ スグニ減《へ》ル…
がんばって マルク義兄《にい》さん 天国《てんごく》の姉《ねえ》さんも きっと そう 願《ねが》ってるわ

ガッチャーン
わーっ
コラ 暴れるなぁ!!
ドカ
ドカ
あっ
誰《だれ》カ イル……?
その 実《じつ》はね 義兄《にい》さん
…………
ゴーン!
ズキー
こらー! 何《なに》やってんの 部屋《へや》から出《で》るなって 言《い》ったでしょ!!
いや その…
教会《きょうかい》に行《い》く気《き》だったわね!!
ちょっとだけ!
ダメ!!
ガ
シッ
はあ
ガク

らっ
し
エクソシストぉ?
なんだ そりゃ!
もーいいよ お前《まえ》 とりあえず 保留《ほりゅう》!
しっ
しっ
しっ
ガーーン
エッ
おれは現場《げんば》に戻《もど》る モア巡査《じゅんさ》 お前《まえ》は自宅《じたく》で コイツの見張《みは》りだ!
はぁ
つまり 自宅謹慎《じたくきんしん》って ことじゃないの
教会《きょうかい》は 目《め》の前《まえ》 なのに…
警部《けいぶ》さん達《たち》 大丈夫《だいじょうぶ》かな…
そわ
そわ
そわ
アレンくん
キミ ホントに 犯人《はんにん》が悪魔《アクマ》だと 思《おも》ってるの?
はい?
悪魔《アクマ》というのは 古代《こだい》の人間《にんげん》が 病《やまい》や禍《わざわい》に対《たい》する 恐怖心《きょうふしん》から創《つく》り出《だ》した 空想《くうそう》のキャラクターよ

言葉《ことば》や思想《しそう》の中《なか》だけで 現実《げんじつ》には存在《そんざい》しないの
私《わたし》は 呪《のろ》いや悪魔《アクマ》なんて 信《しん》じてないわ
そういうの キライなの
えっと… 僕《ぼく》の 言《い》ってるアクマは そういうものの ことじゃないです
え
「AKUMA《アクマ》」とは 兵器《へいき》の名称《なまえ》です
人類《じんるい》を標的《ターゲット》に 造《つく》られた 悪性兵器《あくせいへいき》
それが 「AKUMA《アクマ》」です

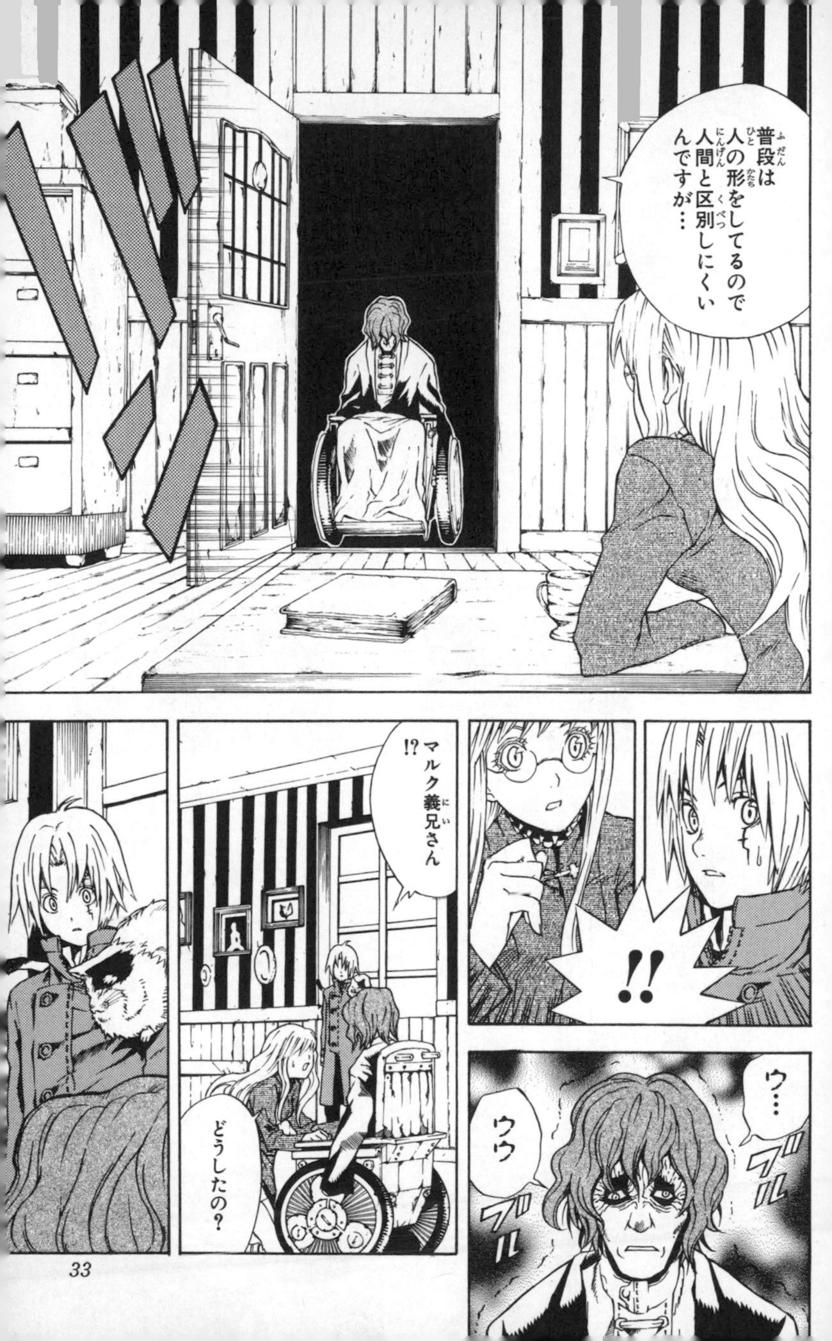
普段《ふだん》は人《ひと》の形《かたち》をしてるので人間《にんげん》と区別《くべつ》しにくいんですが…
!!
!?マルク義兄《にい》さん
どうしたの?
ウ…
ウウ
ブル
ブル

AKUMA《アクマ》!!!
オ
オナカガ
減《へ》ッタ
殺《ころ》サセテ
え？

義兄《にい》さん…？
キィィィィィィ

なによ これ

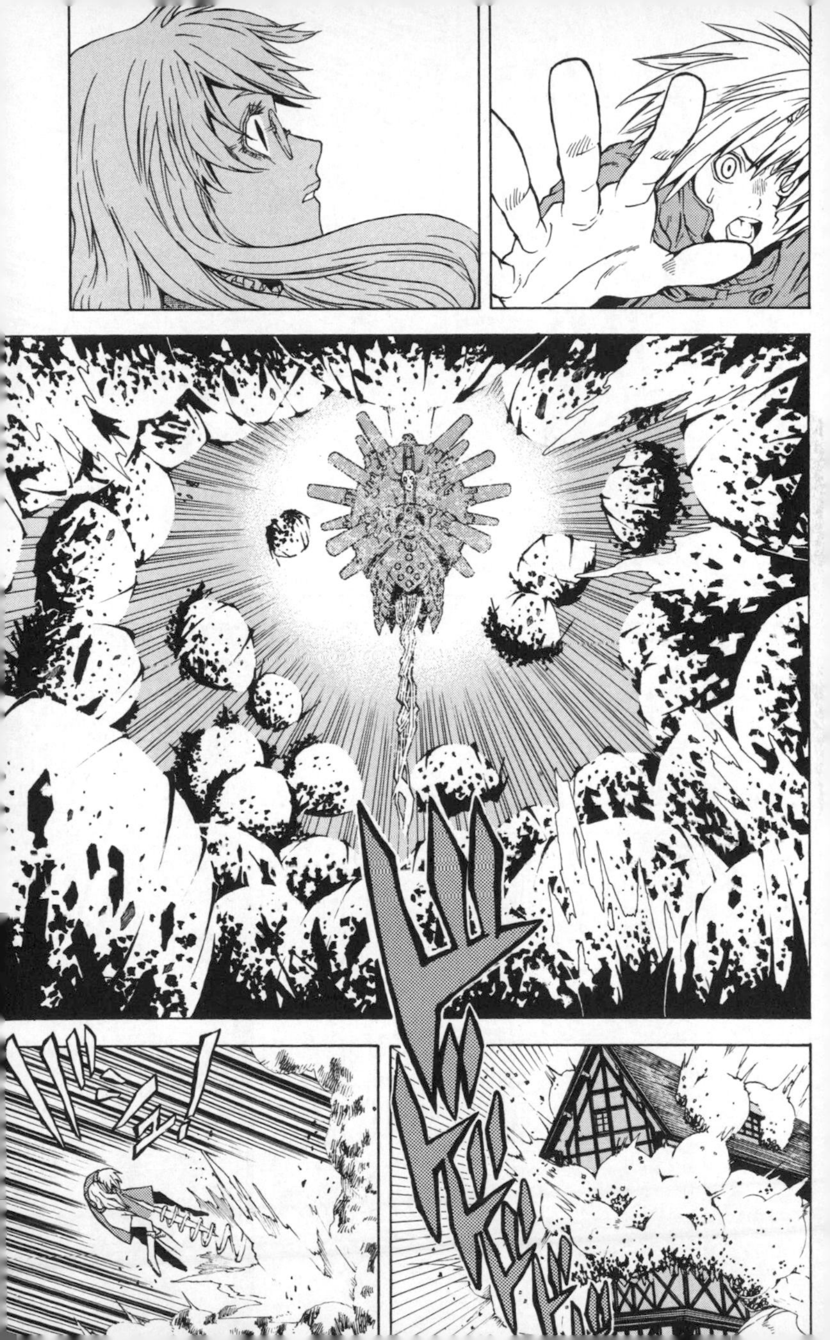

ぐぎぎ…っ
むっ!?
つ…
だ 大丈夫《だいじょうぶ》? モアさん
うん…
ここ どこ…?
お向《む》かいの教会《きょうかい》… 吹《ふ》っ飛《と》ばされました
ジュウウゥ

うそ…
あなた弾丸《だんがん》を受《う》け止《と》めたの⁉
触《ふ》れないで
アクマの血《ち》の弾丸《だんがん》です
この弾丸《タマ》には毒《どく》のウィルスが含《ふく》まれていて
アクマは自《みずか》らの体形《たいけい》を銃器《じゅうき》に転換《コンバート》して それを撃《う》ち出《だ》すんです
撃《う》ち込《こ》まれるとウィルスが急速《きゅうそく》に体内《たいない》を侵食《しんしょく》して……
ズ
砕《くだ》け散《ち》る

くそ…
助《たす》けられなくてごめんよ…
マルク義兄《にい》さんはどうしちゃったの…？
モアさん アクマは人間《にんげん》の死体《したい》を被《かぶ》って 社会《しゃかい》に侵入《しんにゅう》するんです
アレはマルクさんじゃない
マルクさんを殺《ころ》し その死体《かわ》を被《かぶ》って成《な》り済《す》ましていた
アクマです

義兄《にい》さんが…
殺《ころ》されてた⁉
来《き》た
コラ―― お前《まえ》ら ここで 何《なに》してる⁉
⁉
警部《けいぶ》⁉
ギョッ‼ なんだ コリャ

撃《う》て！
なんか知《し》らんがヤバそうだぞ!!
チュイン
チュイン
チュイ
チュイン
銃《じゅう》じゃダメです
逃《に》げてください!!
やめて…

ドド
警部《けいぶ》……
みんな…っ
この化物《ばけもの》！なんで殺《ころ》すのよ
なんで!!!
言《い》ってもムダですモアさん

望《のぞ》んでやってるワケじゃない…
兵器《へいき》として進化《しんか》するよう強制《プログラム》されてるんです
アレは ただの殺人《さつじん》マシンよ!!
ちがう
アクマは魂《たましい》を内蔵《ないぞう》した生《い》きる兵器《へいき》なんです
その魂《たましい》は〈製造者《せいぞうしゃ》〉に支配《しはい》され
罪《つみ》に苦悩《くのう》し己《おのれ》の姿《すがた》に絶望《ぜつぼう》し現実《げんじつ》を憎悪《ぞうお》する
そんな魂《たましい》のフラストレーションがアクマを進化《しんか》させるエネルギー源《げん》になるんです
あのアクマにも…誰《だれ》かの魂《たましい》が内蔵《いれ》られてます

彼女《かのじょ》は きっと
皮《かわ》になったマルクさんととても絆《きずな》の深《ふか》かった人《ひと》……
アクマは「機械《きかい》」と「魂《たましい》」と
「悲劇《ひげき》」を材料《ざいりょう》に造《う》まれるんです
人《ひと》には誰《だれ》しも心《こころ》に闇《やみ》がある
その闇《やみ》が「悲劇《ひげき》」によってより深《ふか》くなった者《もの》の所《ところ》に〈製造者《せいぞうしゃ》〉が現《あらわ》れアクマを造《う》む

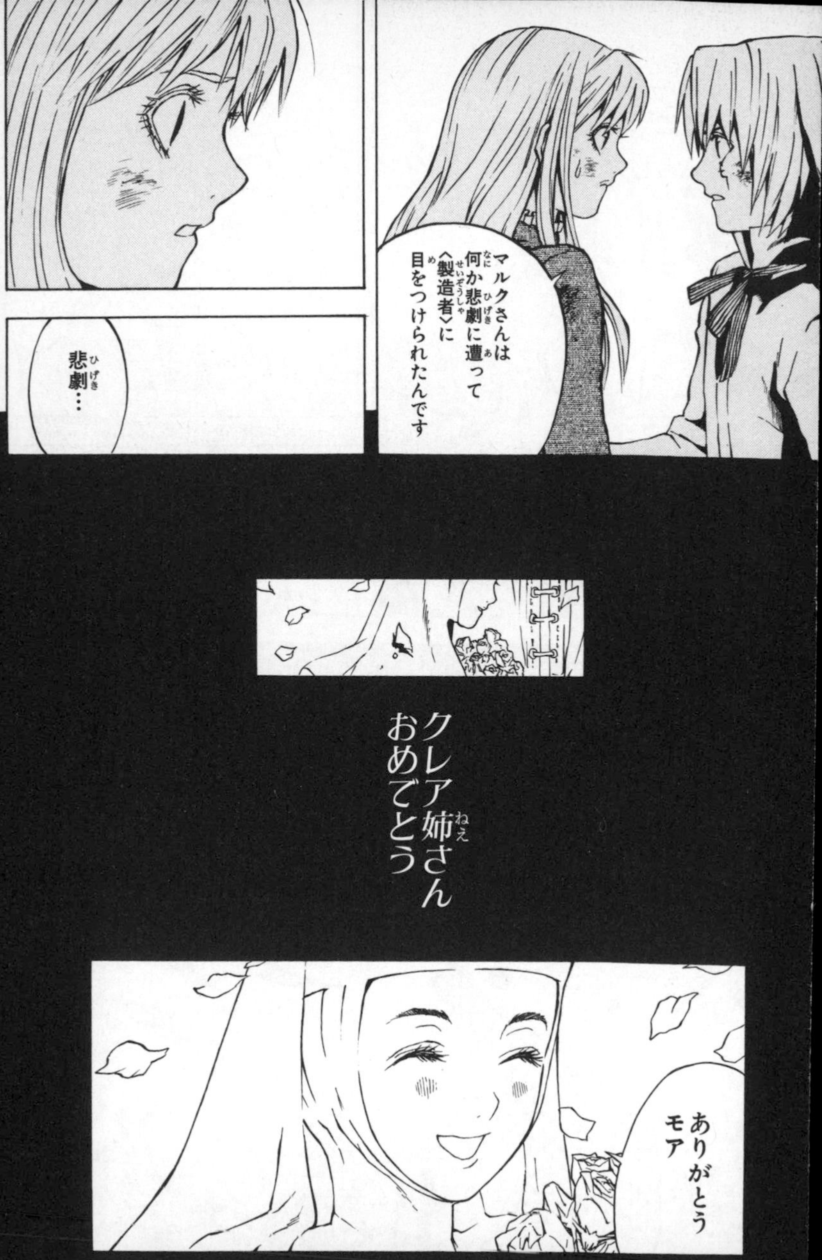
マルクさんは何《なに》か悲劇《ひげき》に遭《あ》って〈製造者《せいぞうしゃ》〉に目《め》をつけられたんです
悲劇《ひげき》…
クレア姉《ねえ》さんおめでとう
ありがとうモア

両親《りょうしん》を早《はや》くに亡《な》くした私《わたし》と姉《ねえ》さん
そんな私達《わたしたち》をいつも励《はげ》まし助《たす》けてくれたのがマルク牧師《ぼくし》だった
いつしか彼《かれ》を愛《あい》し結《むす》ばれた姉《ねえ》さんは
とても幸《しあわ》せそうだった
モアとケンカしたんだって？
警官《けいかん》になるなんて反対《はんたい》だもの…
父《とう》さんと母《かあ》さんを殺《ころ》した強盗《ごうとう》を捕《つか》まえたいだなんて……

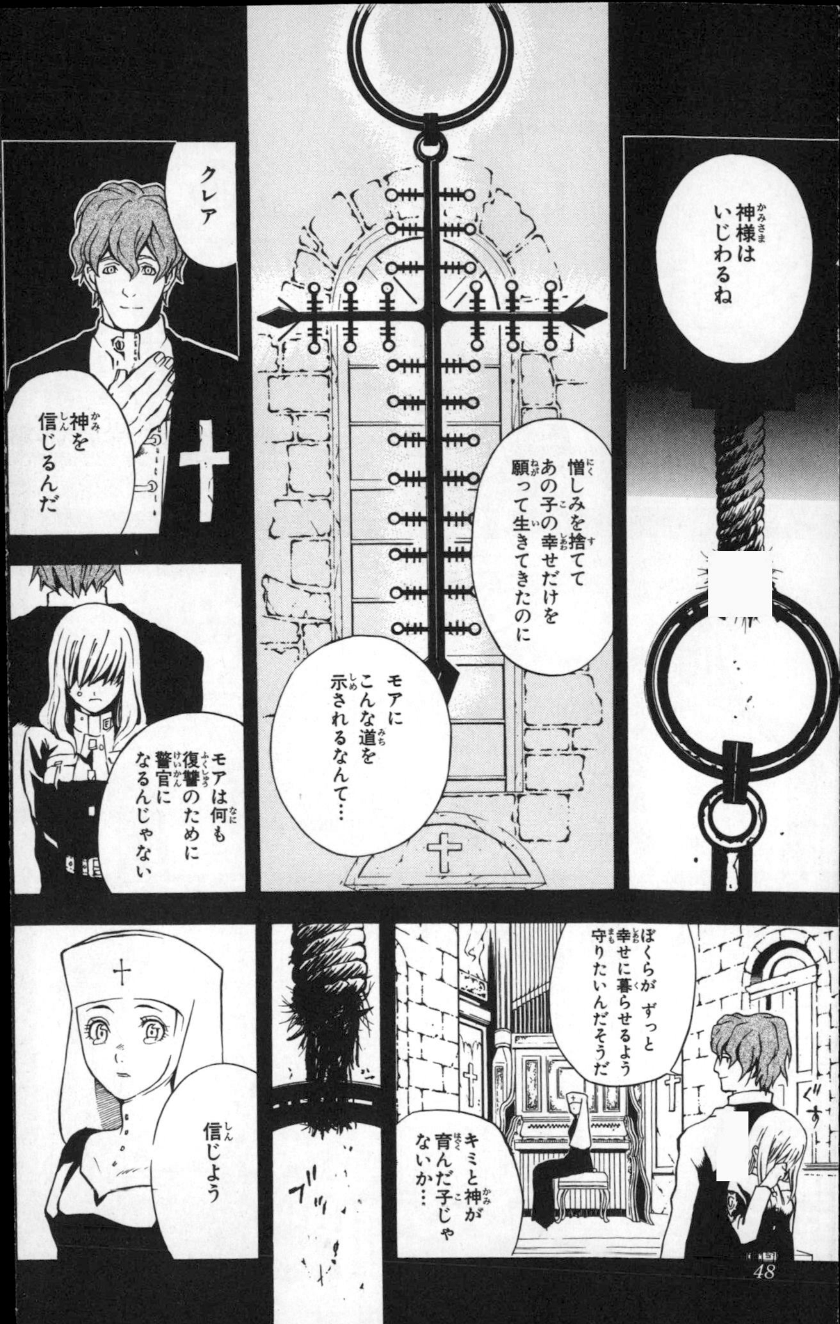

神様《かみさま》はいじわるね
憎《にく》しみを捨《す》ててあの子《こ》の幸《しあわ》せだけを願《ねが》って生《い》きてきたのに
モアにこんな道《みち》を示《しめ》されるなんて…
クレア
神《かみ》を信《しん》じるんだ
モアは何《なに》も復讐《ふくしゅう》のために警官《けいかん》になるんじゃない
ぼくらがずっと幸《しあわ》せに暮《く》らせるよう守《まも》りたいんだそうだ
ぐす
キミと神《かみ》が育《はぐ》んだ子《こ》じゃないか…
ブツ!
信《しん》じよう

モアの気《き》持《も》ちを そして神《かみ》の加護《かご》を
神《かみ》は信《しん》じた者《もの》を裏切《うらぎ》りはしないよ
信《しん》じるわ
……そうね

クレア!!
なぜだ
神《かみ》よ…
クレア
クレア
クレア!!!

あの事故《じこ》は
義兄《にい》さんの心《こころ》を病《や》ませてしまったの……
神《かみ》はオレの妻《つま》を奪《うば》った!!
なんという仕打《しう》ち!!
呪《のろ》ってやる!!
神《かみ》を呪《のろ》った牧師《ぼくし》か…
その時《とき》現《あらわ》れたんでしょう

〈製造者《せいぞうしゃ》〉が
ピョコ
ご奉仕
はい こんばんワ♡
これは我輩《わがはい》の造《つく》った 魔導式《まどうしき》ボディ 魂《たましい》を取《と》り込《こ》み 復活《ふっかつ》させせまス♡
BUILD
憎《にく》き神《かみ》から クレアを 奪《うば》い返《かえ》すのでス♡
それには あなたの協力《きょうりょく》が 必要《いる》んですがネ♡
クレアと絆《きずな》のある あなたの「呼《よ》び声《ごえ》」が……
魂《たましい》を あの世《よ》から 呼《よ》び戻《もど》すことが できル♡
BUILD
クレア!!!

スー
マ
マルク…
ギギギ
なんてことを…
え?
よくも私《わたし》をアクマにしたな!!
捕《つか》まった!逃《に》げられない!!
ウフフ〜♡お前《まえ》はもぉ我輩《わがはい》のモノですクレアちゃん♡
ガシッ
命令《めいれい》ですこの男《おとこ》を殺《ころ》して被《かぶ》りなさイ♡
ヴヴヴ…

Happy《ハッピー》 birthday《バースデイ》 to《トゥー》 you《ユー》♬♪
happy《ハッピー》 birthday《バースデイ》 to《トゥー》 you《ユー》♬
やめて
やめて
happy《ハッピー》 birthday《バースデイ》 dear《ディア》…♪
クレア
出来上《できあ》がり♡

そんな…
これが あのクレア姉《ねえ》さんなの!?
姉《ねえ》さんなの…？
僕《ぼく》に宿《やど》る神《かみ》の十字架《じゅうじか》よ
今《いま》闇《やみ》を破壊《はかい》する力《ちから》を

哀《あわ》れなアクマに

魂《たましい》の救済《きゅうさい》を

ド
ごめんよ…痛《いた》いだろうけど
今《いま》楽《らく》にしてやるから
どうか安《やす》らかに
ミセス・クレア

ありがとう…
フッ
ちゃんと…神様《かみさま》の元《もと》へ行《い》けたのかな
姉《ねえ》さんもマルク義兄《にい》さんも…
そうですねきっと…
ぐすっ

千年伯爵《せんねんはくしゃく》
それが〈製造者《せいぞうしゃ》〉の呼《よ》び名《な》です
彼《かれ》は今《いま》人類終焉《じんるいしゅうえん》のシナリオを演《えん》じている
終《お》わらせるのがエクソシストの役目《やくめ》です

アレン・ウォーカー

英国人
身長 168cm
体重 58kg
バースデーは 不明
養父マナに拾われた
のが12月25日のX'マス
年齢は 15才くらい

基本的に
主人公はバカで
元気な無礼者が
好きなんで、何でこんな子が
生まれたのか 自分でもわからんです。
D.Gをやるにあたって一番
悩まされたのが コイツの髪形。
アレンは デビュー作の「zone」
ってやつの主人公を元にできて
るんですが、そいつは女の子
だったんで長くしたんです。髪。
アレンは男なんで男らしい
のがいいかなーと色々考えたん
ですが、結局… 教団の
コートが似合うのが まあ、
これだったんで…。
こうなりゃ どんどん伸ばし
てって、しばってやろうかな！
なんて考えてる今日この頃

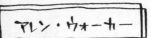

〈AKUMA《アクマ》〉
死者《ししゃ》の魂《たましい》と機械《きかい》を融合《ゆうごう》した
生《い》きる悪性兵器《あくせいへいき》
第《だい》2夜《や》　満月《まんげつ》の夜《よる》
〈エクソシスト〉
AKUMA《アクマ》を破壊《はかい》する
黒《くろ》の聖職者《クラーヂマン》
仮想《かそう》19世紀末《せいきまつ》
そこでは
夜《よ》な夜《よ》な　奇怪《きかい》が
起《お》きていた
ガラ
ガラ

ティムキャンピー
あんまり飛《と》び回《まわ》るなよ
こないだみたいに猫《ねこ》に喰《く》われたらどうするんだ
ガラ
ガラ
え〜〜!? ネコに喰《く》われちゃったの〜〜〜〜〜?
よく助《たす》かったわねェ
その猫《ねこ》のお墓《はか》から出《で》てきたんです
へ?
英国《イギリス》には観光《かんこう》で?旅人《たびびと》さん
いやちょっと
挨拶《あいさつ》に行《い》くんです
よじ
よじ
エクソシストの本部《ほんぶ》へ

第《だい》2夜《や》　満月《まんげつ》の夜《よる》

3か月前《げつまえ》
インドのどこか
パオー
パォー
アレンよ
はい
師匠《ししょう》
お前《まえ》が
俺《おれ》の助手《じょしゅ》になって
もう3年《ねん》
そろそろ
お前《まえ》も一人前《いちにんまえ》に
なってきた頃《ころ》だ
……
今日《きょう》から正式《せいしき》に
エクソシストと
名乗《なの》ることを許《ゆる》す
!!
ホントですか!?
だが そのためには
俺《おれ》と共《とも》に本部《ほんぶ》へ
挨拶《あいさつ》に行《い》かねばならん

お前《まえ》・・・
本部《ほんぶ》の場所《ばしょ》は
知《し》ってるよな?
………
はい?
ジリッ…
俺《おれ》のゴーレムを
代《か》わりに
置《お》いてってやる
パタ
コムイという幹部《かんぶ》にも
紹介状《しょうかいじょう》を送《おく》っといて
やるから…
ジリッ
パキー
目《め》が覚《さ》めたら
出発《しゅっぱつ》しろ
まさか
バックレる気《き》
ですか 師匠《ししょう》!?
俺《おれ》 本部《あそこ》
キライなんだよ
ふおっ
ゴロロロ
はっ!!
バッ

ゆ 夢《ゆめ》か…
まだ忘《わす》れられない…
しゃっ
はー はー はー
どしたの〜? うなされてたみたいだけど〜?
AKUMA《アクマ》だ――!!!!!
アクマだぞ 殺《ころ》されるー
!!
な 何《なに》!?
乗《の》せてくれて ありがとう!
あらら!?

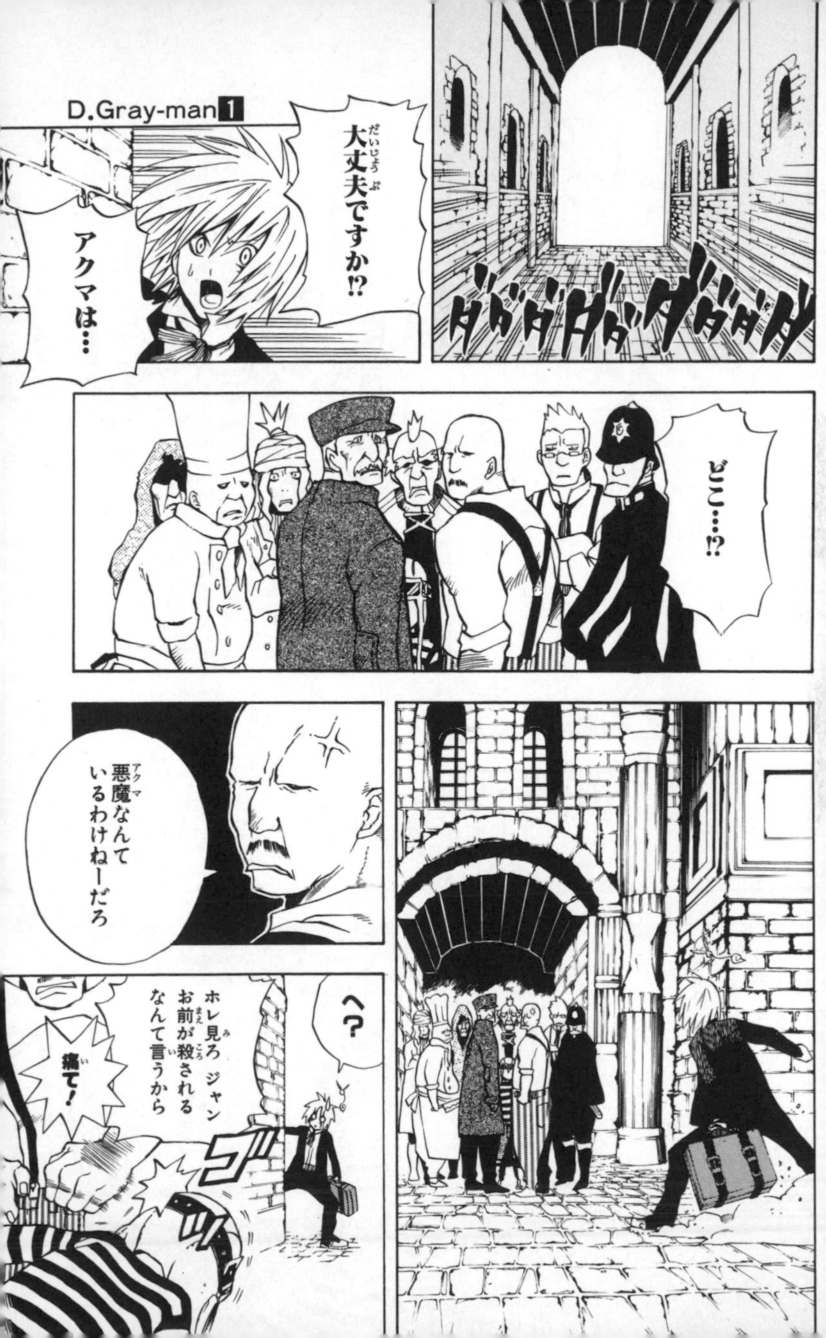
大丈夫《だいじょうぶ》ですか⁉
アクマは…
どこ…⁉
悪魔《アクマ》なんているわけねーだろ
へ？
ホレ見《み》ろ ジャン お前《まえ》が殺《ころ》されるなんて言《い》うから
痛《い》て！
ゴッ

悪《わる》いな こいつのイタズラなんだ
悪魔《アクマ》だの騒《さわ》いでは大人《おとな》をおどかして遊《あそ》んでんだよ
むす
遊《あそ》びじゃねっつのバカ!
マジでアクマはいるんだってば!!
この世界《せかい》をじわじわ侵略《しんりゃく》し始《はじ》めてんだぞ! 親父《おやじ》が言《い》ってた!
あーあ わかったわかった ホレ 飴《あめ》やるから
子供《ガキ》扱《あつか》いすんじゃねェ!!!
ホントだって! 今《いま》そこでこのホームレスのおっちゃんがハット帽《ぼう》のゴツイ奴《やつ》に殺《ころ》されたんだよ!!
そんでアクマの骨組《ほねぐ》みを体内《たいない》に…

ぽこっ
すまねェ なんでもねェんだ
せがまれて 遊《あそ》びに つき合《あ》ってたら この子《こ》 調子《ちょうし》に 乗《の》っちまって…
んご!?
訳「は!?」
やっぱりな
今度《こんど》 騒《さわ》いでも 相手《あいて》にしねェぞ ジャン!
んごーー んごごーー
あーあ 仕事戻るべか
……
ぽつん…

僕《ぼく》の目《め》は ごまかせないよ
君《きみ》は アクマだ

……
ジャンくん…
だっけ?
パチン
キミ
アクマのこと
やたら詳《くわ》しそう
だけど 何者《なにもの》だい?
キャ――!!!
ぐふ!?

エクソシストだ！初《はじ》めて見《み》た!!
今《いま》の対《たい》アクマ武器《ぶき》ってやつ？
よく見《み》せ…
あれ？
THE TYARMS INN
オレの親父《おやじ》ヴァチカンの科学者《かがくしゃ》なの
でも いっつも仕事《しごと》で留守《るす》でー
ヒマ潰《つぶ》しに読《よ》んでた親父《おやじ》の研究《けんきゅう》資料《しりょう》でアクマのこと知《し》ったんだ！
変《へん》な靴《くつ》…
いつかオレもすげー科学者《かがくしゃ》になってアクマを一瞬《いっしゅん》で消《け》すような兵器《へいき》を造《つく》んのが今《いま》のところ夢《ゆめ》！

それにしても………
ちら
何《なに》？
エクソシストってこんな貧弱《ひんじゃく》そうなのでもなれるんだ――
貧弱
オレのイメージマッチョのおっさんだったからさ
アレンて真逆《まぎゃく》だな
今《いま》までどれくらいアクマ壊《こわ》した？
その対《たい》アクマ武器《ぶき》はどうやって手《て》に入《い》れたの？
初《はじ》めてアクマ壊《こわ》した時《とき》どんな気持《きも》ちだった？
ジャン
あまりクビをつっこまない方《ほう》がいい
さっきのアクマのことといい…
これ以上《いじょう》伯爵《はくしゃく》の目《め》に止《と》まるようなことはやめるんだ
危険《きけん》だよ

あげる
ぽい
ん？
タマネギ？
ボフーーーーン
へっへー
オレ発明《はつめい》
タマネギ爆弾《ばくだん》だい
アクマの侵略《しんりゃく》を
だまって見過《みす》ごす
なんて
ごめんだね！
くる
何《なに》が「危《あぶ》ない」だ
子供《ガキ》扱《あつか》いすんな
貧弱《ひんじゃく》!!
目《め》…っ
目《め》が…
ったく…
知《し》らないぞ
じみる

ぼっちゃまー!
ぼっちゃま…!
Keep out
ごん ごん ごん
ジャンぼっちゃま
お客様《きゃくさま》ですよ
聞《き》こえてますー?
ジャン
ぼっちゃまー!!
…………
誰《だれ》?
ガチャ
レオ!!

久《ひさ》しぶりじゃん
相棒《あいぼう》!
葬式《そうしき》の日《ひ》以来《いらい》
連絡《れんらく》ないから
心配《しんぱい》してたんだぞ!
今《いま》は親戚《しんせき》の家《うち》に
いんのか?
母《かあ》ちゃん死《し》んで
辛《つら》いだろうけど
オレ なんでも
力《ちから》になるから
元気《げんき》出《だ》せな!
なんか…
カンジ変《か》わったな
こいつ…
母《かあ》ちゃん亡《な》くして
相当《そうとう》ショック
だったんだな
何《なに》かないかな
元気《げんき》づけられる
こと…

あっ そだ！
オレ 今日《きょう》 初《はじ》めてアクマ 見《み》つけたんだぜ！
お前《まえ》がいない間《あいだ》も ずっとパトロール やってたんだ
やっぱ中身《なかみ》は 機械《きかい》の骨組《ほねぐ》み だったぜ
それにさ オレ
千年伯爵《せんねんはくしゃく》の顔《かお》を 見《み》たんだ!!
絶対《ぜったい》アイツだよ あれ
ちょっと待《ま》てよ 今《いま》 紙《かみ》に描《か》くから
えっとね………
カキ カキ

ばぁ
こんなん!
ん
この似顔絵《にがおえ》
配《くば》って またふたりで
パトロールしようぜ!!
ジャン
チョット
来《き》テホシイ所《とこ》ガ
アルンダケド……
BELL
やっぱ気《き》になって
来《き》てしまった…
まだ
しみる↓
もういいや
あの子《こ》をちゃんと
説得《せっとく》してから
本部《ほんぶ》に行《い》こう
はぁ

ガチャ
はい?
あれ デジャヴ
ああの ジャンくんのお宅《たく》だと 聞《き》いて来《き》たんですが
ジャンくんは いますか?
ジャンぼっちゃま ですか?
そ
いらっしゃいま…
何《なに》しに 来《き》たんだよ
ケケケケケケ
ぐちゃっ
あ

ケッ
説教《せっきょう》でもしに来《き》たのかよ
お前《まえ》の言《い》うことなんか聞《き》かないぞ
レヤ
ジャ…ジャンキミって奴《やつ》は…
シャッ
行《い》こうぜレオ
も
気絶
もう絶対《ぜったい》知《し》らない
!!
ま待《ま》つんだジャン
その子《こ》は…
ガシャン

ぎ…
ぐぐぐぐ
まずいっ
ティムキャンピー！ジャンのあとを追《お》って!!
僕《ぼく》もすぐに行《い》くから
ぱタタタ
くそ…
本部《ほんぶ》に行《い》く前《まえ》だってのにな…
先《さき》に こちらと挨拶《あいさつ》することになるかもしれません
師匠《し しょう》…

おい レオ 来《き》てほしい所《とこ》って ここかよ？
墓地《ぼち》じゃん
あ
もしかして お前《まえ》 母《かあ》ちゃんの墓参《はかまい》り したかったの？
ドーン
それならそうと 早《はや》く言《い》えよ 水《みず》くさい…

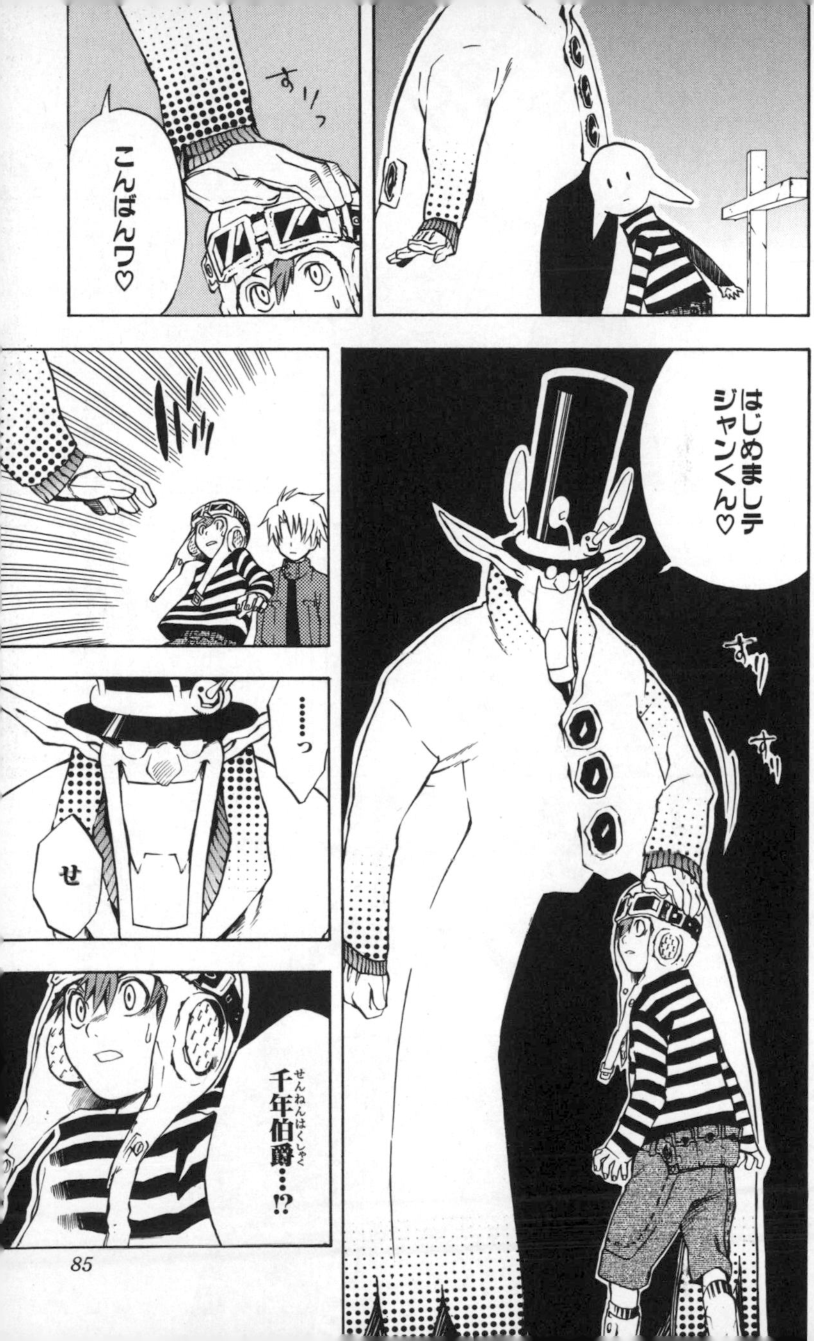
すりっ
こんばんワ♡
はじめましテ
ジャンくん♡
……っ
せ
千年伯爵《せんねんはくしゃく》…!?

この!!
レオ 逃《に》げるぞ
おい レオ!?
ニヤァ
どうしたんだよ 伯爵《はくしゃく》に 殺《ころ》されるぞ!!
ぬっ
レオ・・・
レオくんなら もう とっくに 死《し》にましたヨ♡
お母《かあ》さんの お葬式《そうしき》の日《ひ》にネ♡

それ…
我輩《わがはい》を邪魔《じゃま》した
お前《まえ》を　お仕置《しおき》する
アクマですョ♡
うそだ…
ホント
だよ
ジャン
その子《こ》は　伯爵《はくしゃく》の
AKUMA《アクマ》だ!!

そして師匠《ししょう》は 旅立《たびだ》った。

第《だい》3夜《や》　ペンタクル

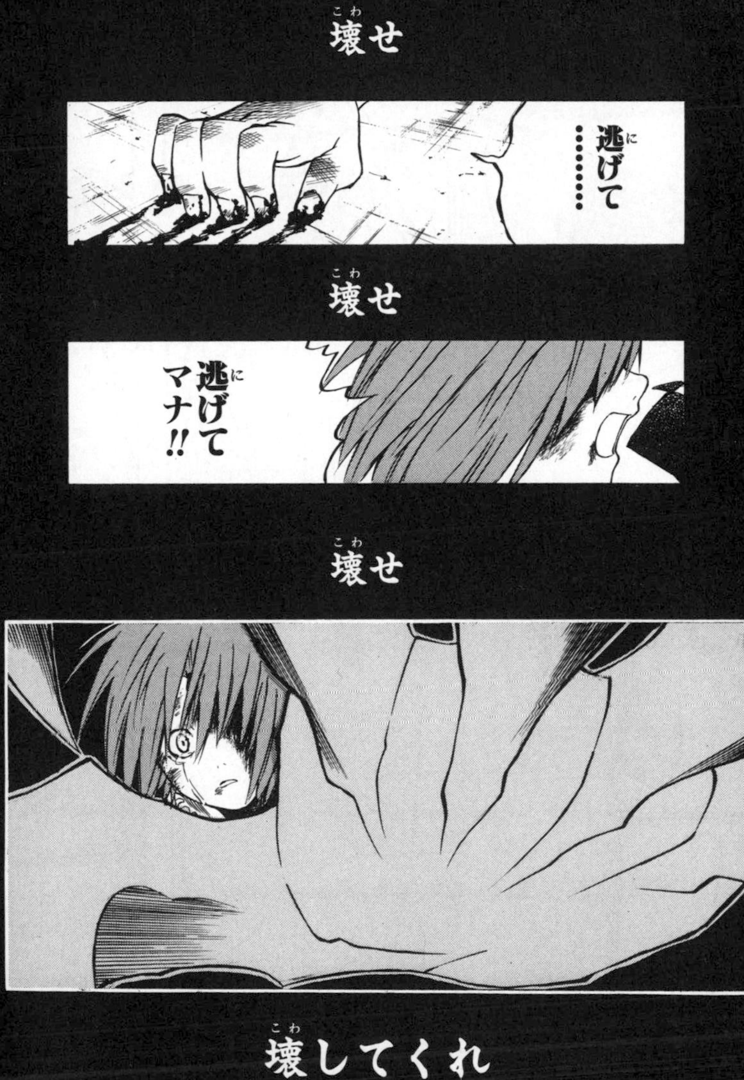

第《だい》3夜《や》　ペンタクル

レオ…？
信《しん》じてジャン
その子《こ》は人間《にんげん》じゃない
キミの友達《ともだち》の皮《かわ》を被《かぶ》った千年伯爵《せんねんはくしゃく》の兵器《へいき》…AKUMA《アクマ》だ

誰《だーれ》？♡
こんばんは千年伯爵《せんねんはくしゃく》
あなたの敵《てき》です
エクソシストですカ!?♡
それは どうも はじめまし…
……？
はじめましテ…？

十字架《じゅうじか》よ
アクマを破壊《はかい》！
魂《たましい》を
救済《きゅうさい》せよ!!

!
ジャン…っ
な なんで…？
なんで レオがアクマ なんだよ？
オレの 親友《ダチ》だぞ？
アクマの パトロールだって こいつと一緒《いっしょ》に 始《はじ》めたんだ
ふたりで 街《まち》を守《まも》ろうって ………

こいつがアクマなわけないじゃん！
何《なに》を証拠《しょうこ》に言《い》ってんだよ!!!
カチ
キィィィィ
レオ…

ジャン！
あ…っ
!!
アレン!!

う…
やばい アレンが 撃《う》たれた!
アクマの弾丸《だんがん》には 人体《じんたい》を破壊《はかい》する毒《ウイルス》が 組《く》み込《こ》まれてると あつた
撃《う》たれたら 侵食《しんしょく》され 人体《じんたい》を破壊《はかい》される!!
ハア♡ 躊躇《ちゅうちょ》なく弾丸《だんがん》に 飛《と》び込《こ》んでくるとは 勇敢《ゆうかん》ですねェ♡
気分《きぶん》は どうです ジャンくん?
キミはねェ ムカツク んですヨ
力《ちから》も ないのに 正義《せいぎ》に ばーっか 燃《も》えてて
我輩《わがはい》のこと 悪者悪者《わるものわるもの》っテ ♡
我輩《わがはい》は ただ みんなのために アクマを 造《つく》ってる だけなのニ♡

どうです 醜《みにく》いでしょウ?♡
ス
これは 人《ひと》の心《こころ》が招《まね》いた 罪《つみ》の結晶《けっしょう》です
キミはアクマを 我輩《わがはい》が造《つく》る 単《たん》なる兵器《へいき》と 思《おも》っているようですが
アクマは 人《ひと》の心《こころ》が造《う》むものなのですヨ♡
このアクマも そう
キミの親友《しんゆう》の レオが造《う》んだ アクマなのでス ♡
レオが…?
死《し》んだ レオのお母《かあ》さん
!
レオは… 伯爵《はくしゃく》の力《ちから》を借《か》りて 死《し》んだ母親《ははおや》の魂《たましい》を この世《よ》に呼《よ》び戻《もど》し
AKUMA《アクマ》に してしまったんだ
僕《ぼく》には 見《み》える ………

アクマにされて苦《くる》しんでる彼《かれ》の母親《ははおや》の姿《すがた》が
見《み》えル？♥
何《なに》を言《い》ってるんですこの死《し》にぞこないガ♥
僕《ぼく》は対《たい》アクマ武器《ぶき》を宿《やど》した人間《にんげん》です
体内《たいない》の毒《ウイルス》なら浄化《じょうか》できる

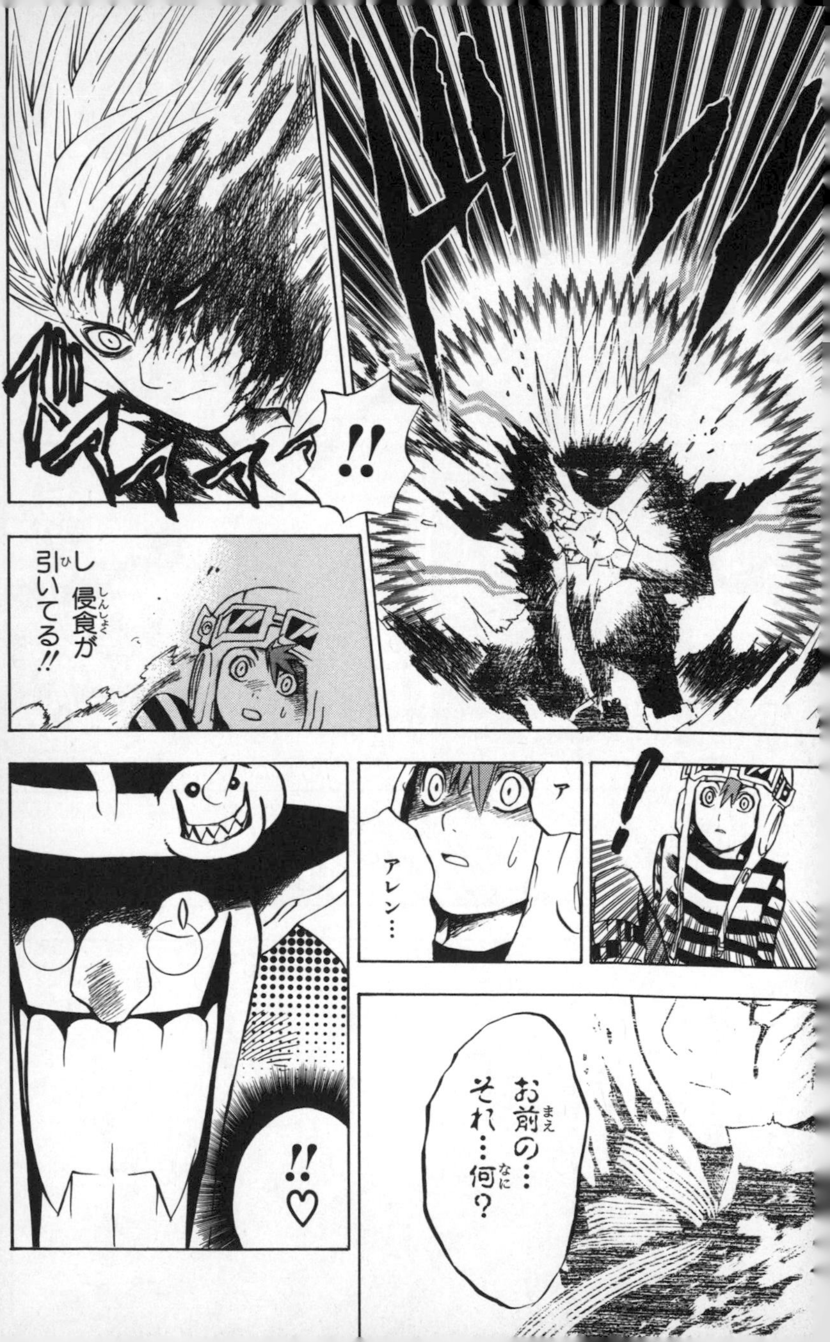
!!
し　侵食《しんしょく》が
引《ひ》いてる!!
!
ア
アレン…
!!♡
お前《まえ》の…
それ…何《なに》?

呪《のろ》い…
僕《ぼく》は昔《むかし》
大切《たいせつ》な人《ひと》を
アクマにした
あ——
——!!!!♡
その呪《のろ》いで この目《め》には
アクマに内蔵《ないぞう》された
魂《たましい》が見《み》えるんだ
思《おも》い出《だ》した…
我輩《わがはい》は昔《むかし》
お前《まえ》に会《あ》った
ことがあル…♡
お前《まえ》は
アレン・ウォーカー
父親《ちちおや》をアクマにした
あの時《とき》のガキですネ
!!♡

マナ・ウォーカーを
MANA WALKER
甦《よみがえ》らせてあげましょうカ?♡

血《ち》の繋《つな》がりはなかった
でも奇怪《きかい》な腕《うで》をもって生《う》まれたために捨《す》てられた僕《ぼく》を
拾《ひろ》い育《そだ》ててくれた人《ひと》だった
ア…
mana
レ…ン
よくも
アクマにしたな…

アレン!!
よくもアクマに!!!
呪《のろ》うぞ
呪《のろ》うぞアレン!!

ギャアアアアアアア

何《なに》が起《お》きたのか
わからなかった
何《なに》これ…!?
勝手《かって》に…
ギギ…

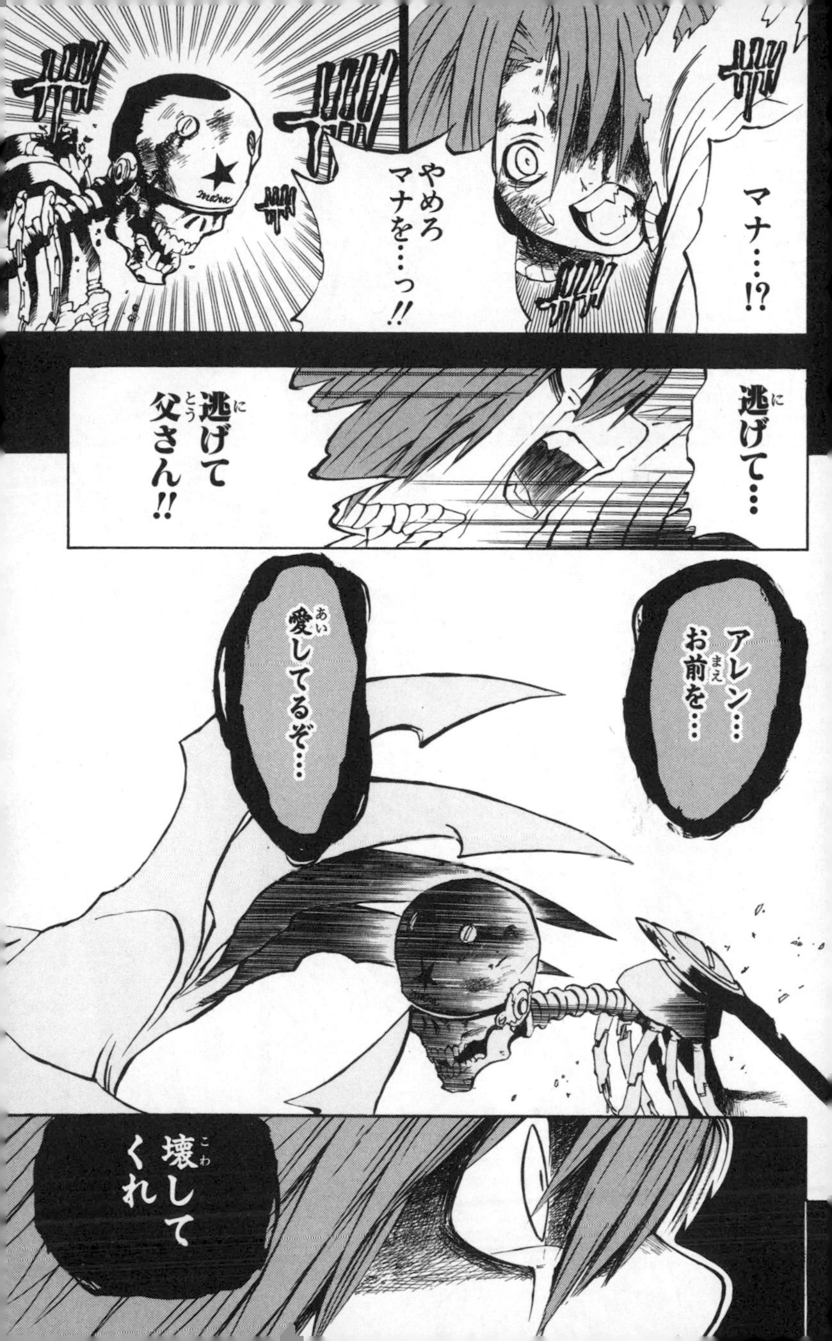

マナ…!?
やめろ
マナを…っ!!
逃《に》げて…
逃《に》げて
父《とう》さん!!
アレン…
お前《まえ》を…
愛《あい》してるぞ…
壊《こわ》して
くれ

わあああ
ああああああ
あああああああ

アクマに内蔵《ないぞう》された魂《たましい》に自由《じゆう》はない
永遠《えいえん》に拘束《こうそく》され伯爵《はくしゃく》の兵器《オモチャ》になるのだ
破壊《はかい》するしか救《すく》う手《て》は無《な》い
生《う》まれながらに対《たい》アクマ武器《ぶき》を宿《やど》した人間《にんげん》か…
数奇《すうき》な運命《うんめい》だな
お前《まえ》もまた神《かみ》に取《と》り憑《つ》かれた使徒《しと》のようだ

エクソシストにならないか？
あの時《とき》から僕《ぼく》にはアクマの魂《たましい》が見《み》えるようになった
初《はじ》めは マナが僕《ぼく》を呪《のろ》ってるんだと思《おも》った…だから償《つぐな》いになるならとエクソシストになろうとした
でもいつか たくさんのアクマを見《み》てるうちにわかったんだ
彼《かれ》らの涙《なみだ》は憎《にく》しみじゃない自分《じぶん》をアクマにした者《もの》への深《ふか》い愛情《あいじょう》なんだ
「なぜ 強《つよ》く生《い》きてくれなかったのか」と
だから償《つぐな》いではなく生《い》きる為《ため》にエクソシストになろうと決《き》めたんです
この呪《のろ》いが
僕《ぼく》の道標《みちしるべ》…

AKUMA《アクマ》は哀《かな》しすぎる
この世界《せかい》にあっちゃいけない!
だから破壊《はかい》します
ピキ
アレン
お前《まえ》は あの時《とき》殺《ころ》しておくべきでしタ♡

千年伯爵
The earl of millenium

この人は実際に、実在しているある人物をモデルにしています。名前は言えませんが、18世紀に登場した世界最大級の怪人物の1人で、あらゆる言語を解し、あらゆる学問に精通し、あらゆる芸術の才能をもっていたとされてます。また、予言者でもあり、何十年たとうとも外見が50歳以上には老化しない不老不死者だったそうです。

スゴイですね。

自らを「時空を旅する錬金術師」と自称するこの怪人物は現代でもどこかで存在しているそうですよ。

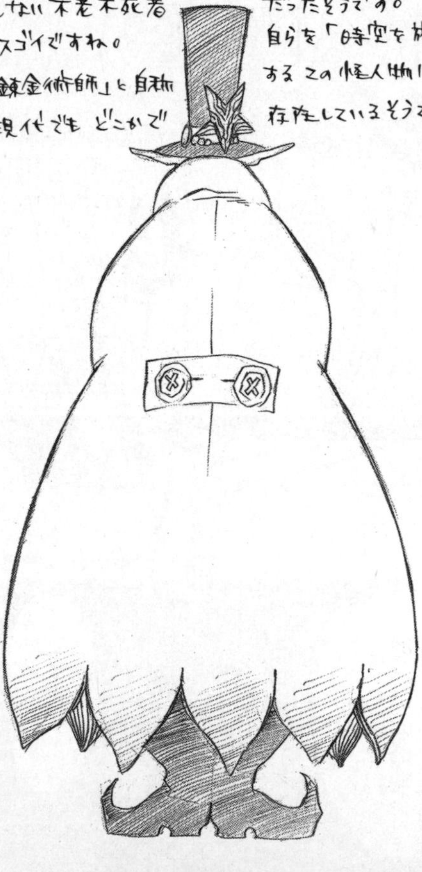

第《だい》4夜《や》　覚悟《かくご》と始《はじ》まり

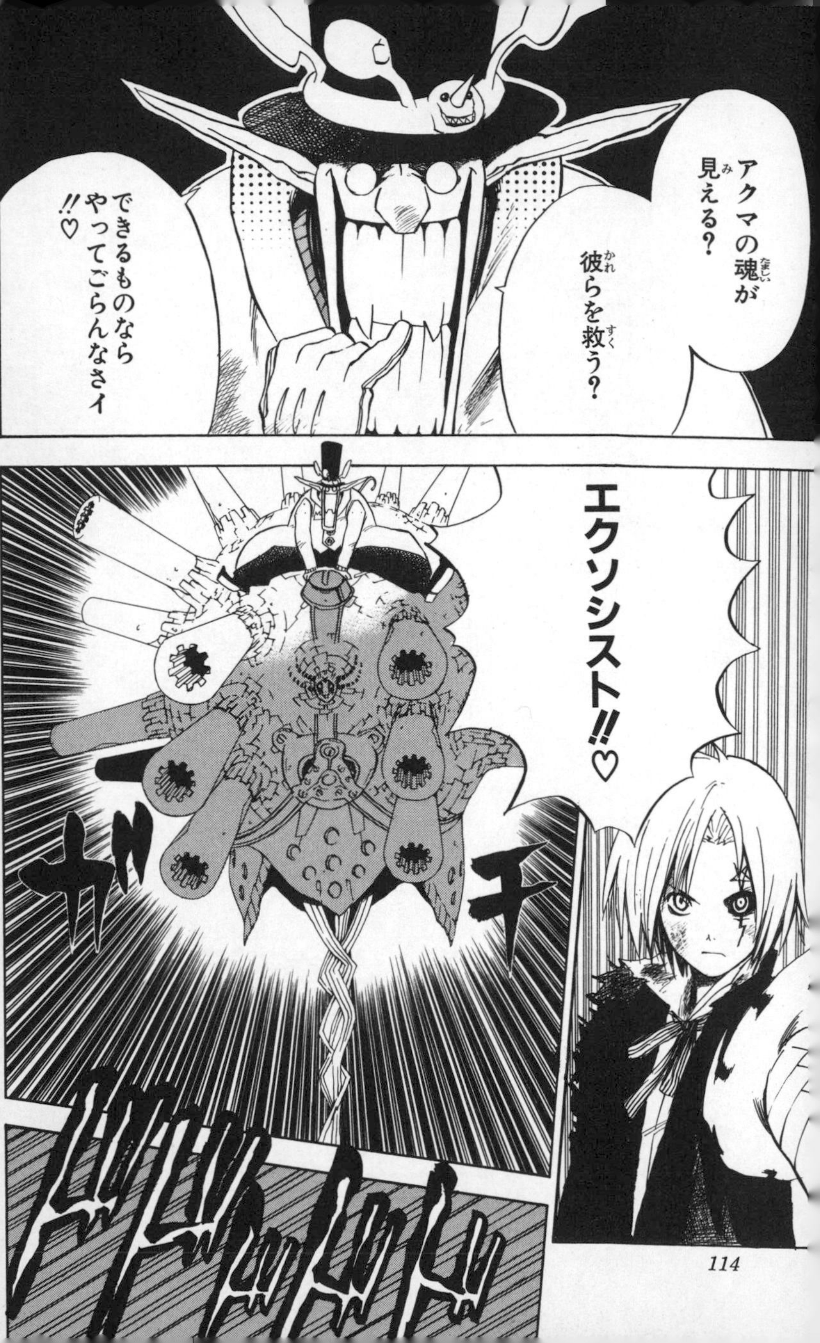
アクマの魂《たましい》が見《み》える？
彼《かれ》らを救《すく》う？
できるものならやってごらんなさイ‼♡
エクソシスト‼♡
ガ
チ

毒《ウィルス》が効《き》かないなら撃《う》ち殺《ころ》せばいいとでも?
ナメないでください
さっきはジャンをかばうために仕方《しかた》なく撃《う》たれたけど
その程度《ていど》のアクマの攻撃《こうげき》じゃ僕《ぼく》は殺《ころ》せませんよ

対《たい》アクマ武器《ぶき》が発動《はつどう》した僕《ぼく》の左手《ひだりて》は怪力《かいりき》と音速《おんそく》を誇《ほこ》る
アクマの弾丸《だんがん》もその硬質《こうしつ》のボディもこの手《て》の前《まえ》では無意味《むいみ》
あなたの兵器《へいき》を破壊《はかい》する為《ため》に存在《そんざい》する
神《かみ》の兵器《へいき》です
ムウ♡
ナマイキ
ばっ
それでハ♡

ズ
ン
!?
東《ひがし》の国《くに》のことわざを知《し》ってまス?♡
ギラッ
ヘタな鉄砲《てっぽう》…
キィィィ
数撃《かずう》ちゃ当《あ》たル
アクマなんてくさる程《ほど》いるんですヨ♡

いっけ――！アクマキャノン!!♡
ジャン！
墓地《ここ》から離《はな》れるんだ
全部《ぜんぶ》破壊《はかい》する!!
！

破壊《はかい》・・・
AKUMA《アクマ》は
伯爵《はくしゃく》が造《つく》った
悪性兵器《あくせいへいき》
人類《じんるい》の敵《てき》
壊《こわ》さなきゃ
いけない
存在《もの》だ・・・
わかってる
つもりだった
あ
やべーぞ　レオ
アクマは
殺《ころ》した人間《にんげん》の皮《かわ》を
被《かぶ》ってんだってさ
ギャー
グロテスク！
理解《りかい》できない!!
つーか
フツーに読《よ》んでる
お前《まえ》が怖《こわ》い!!
これじゃ
アクマになっても
誰《だれ》が
わかんないなー
レオくんの
お母《かあ》さん・・・
急《きゅう》なことで・・・

レオ…お前《まえ》は
母《かあ》ちゃんの死《し》が
ショックで
心《こころ》に闇《やみ》が
できたのか？
ふたりでアクマの
パトロールもしてた
千年伯爵《せんねんはくしゃく》が
悪者《わるもの》だって
わかってたはず
なのに
なのに…
お前《まえ》は…
伯爵《はくしゃく》を
受《う》け入《い》れたのか？
ばか…
カシャ
やろ…
ばかやろう
レオ…っ

母《かあ》ちゃんを
アクマに
してまで…
オレは
アレンみたいに
アクマの魂《たまい》なんて
見《み》えない
会《あ》いたかった
のかよ…っ
泣《な》いてんのかなんて
わかんねェよ
わかんねェけど…
ちくしょお…
ちくしょお!!!

ごめん
レオ
オレがお前《まえ》に伯爵《はくしゃく》の存在《こと》を教《おし》えたせいだ…
カラクリばかりで人間《ひと》の心《こころ》のことを何《なに》もわかってなかった
壊《こわ》してアレン!!!

おやすみなさい
この一撃《いちげき》ですべて葬《ほうむ》ります

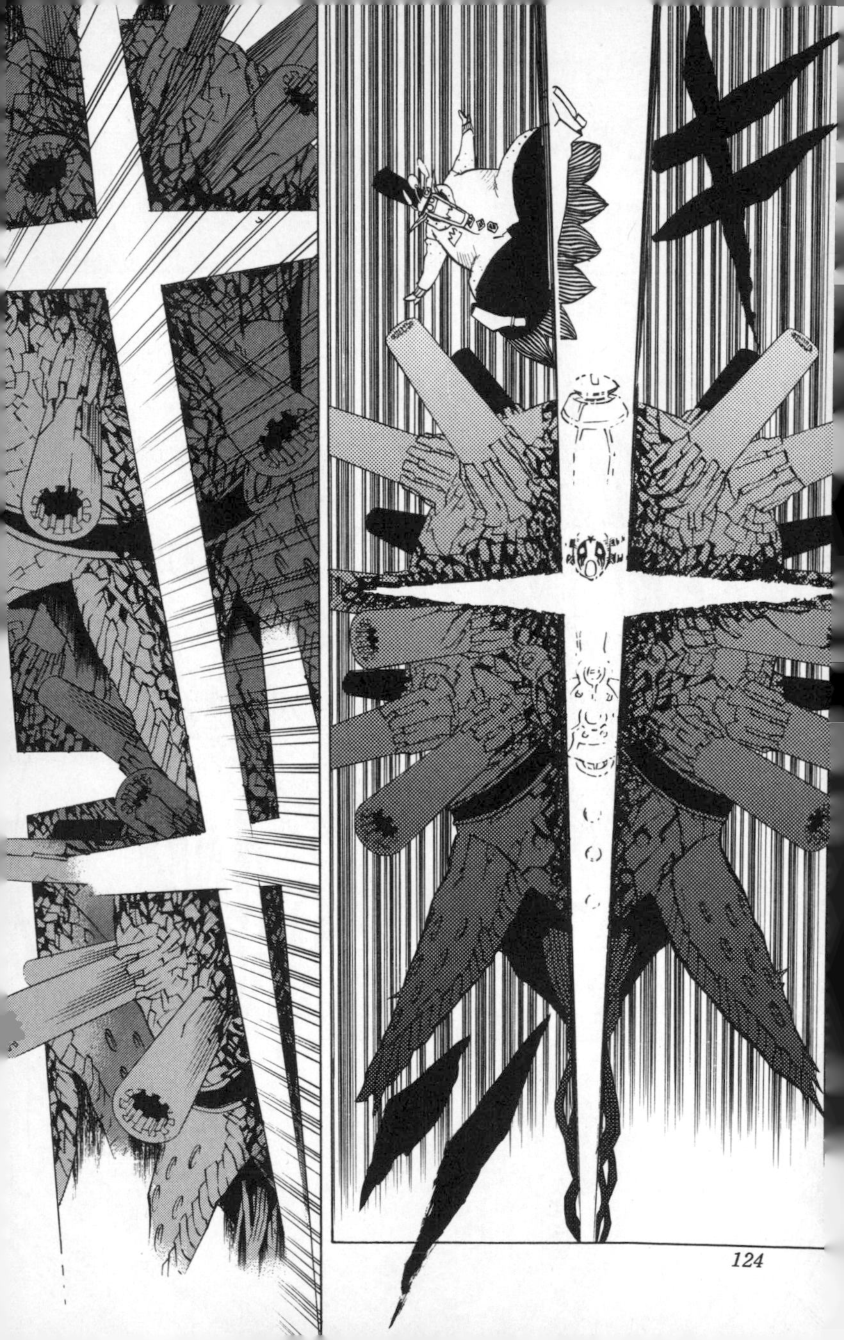

十字架ノ墓《クロスグレイヴ》!!!

チェッ♡
どうやらこのレベルじゃ相手《あいて》にならないようですネ
また出直《でなお》すことにしましょウ♡
伯爵《はくしゃく》!!
ですがお前《まえ》はまだほんの序章《じょしょう》を見《み》ただけ…
世界《せかい》でアクマは進化《しんか》し続《つづ》けていル
これからが本当《ほんとう》の終焉劇《しゅうえんげき》の始《はじ》まりでス♡

我輩《わがはい》は
アクマ製造者《せいぞうしゃ》
千年伯爵《せんねんはくしゃく》
汚《けが》れた「神《かみ》」を調伏《ちょうぶく》し
アクマと共《とも》に
この世界《せかい》を
終焉《デス》に導《みちび》く者《もの》
神《かみ》の使徒《しと》
エクソシスト
お前達《まえたち》が
どうあがいても
世界《せかい》を救《すく》うことは
できませン♡

絶対《ぜったい》にネ♡
ギャハハハハ♡
ほんの
序章《じょしょう》・・・
アレン!?
ジャン・・・
悪《わる》いんだけど医者《いしゃ》呼《よ》んできてくれないかな?
うわっスゲーぞ血《ち》!!

ポタ
ひっく…
ひっく…
すぐ…ドクターを呼《よ》んできてやるよ…………
だから…ちょっと気絶《きぜつ》でもしてて
すぐ終《お》わるからさ

三日後《みっかご》――
ガガガ
何《なに》作《つく》ってるんだい？
わっ
なんだよ勝手《かって》に部屋《へや》に入《はい》ってくんなよ！
だってノックしても気《き》づかないんだもん
十字架《じゅうじか》…？
当座《とうざ》のレオの墓標《ぼひょう》だよ
あいつ今《いま》家出人扱《いえでにんあつか》いで死《し》んだこと誰《だれ》も知《し》らないし
いつかホントの墓《はか》が立《た》てられるようになるまではさ………

アレンは これから エクソシストの 本部《ほんぶ》だっけ？
うん
オレも親父《おやじ》の 所《とこ》に行《い》く
もっと勉強《べんきょう》して 力《ちから》をつけるよ 今《いま》のオレじゃ 駄目《だめ》だって よくわかった
ティム キャンピーが せかしてる
ぱタ
ぱタ
そろそろ ホントに 行《い》かないと
そっか… じゃあ
お互《たが》い がんばろう！

灰部屋
アシさんをD.Gキャラに置き換えてみよう♪
無言《むごん》の仕事人《しごとにん》
おケイ
ゲーム狂《きょう》・天然《てんねん》の笑《わら》い人《にん》
おいちゃん
オシャレのくせに机《つくえ》が汚《きたな》い宮崎《みやざき》くん
バカヤロウ
悪霊退散
謎多《なぞおお》き破滅願望者《はめつがんぼうしゃ》
グンマ
「お前《まえ》は伯爵《はくしゃく》だ」と宮崎《みやざき》くんに言《い》われた星野《ほしの》
♫音楽はゲームのサントラばっかり流れてます。

ぱタ
ぱタ
ぱタ
はあ
はあ
よじ
よじ
よじ
な…
なんでこんなトコにあんなもん建《た》てたんだ
ハーーー
ハーーー
や…
へろ
やっと着《つ》いた…
第《だい》5夜《や》　黒《くろ》の教団《きょうだん》

エクソシスト総本部《そうほんぶ》…
黒《くろ》の教団《きょうだん》
第《だい》5夜《や》　黒《くろ》の教団《きょうだん》

……かな?
話《はなし》には聞《き》いてたけど なんてゆーか 雰囲気《ふんいき》あるな…
ここだよね ティム キャンピー?
とにかく 行《い》ってみるか
CHASE
なんだい この子《こ》は!?
ばさ
ジー
ばさ
ばさ

ダメだよ 部外者《ぶがいしゃ》 入《い》れちゃあ
なんで落《お》とさなかったの⁉
あ コムイ室長《しっちょう》
それが微妙《びみょう》に部外者《ぶがいしゃ》っぽくねーんスよね
ナニナニ?
ここ見《み》て兄《にい》さん
この子《こ》クロス元帥《げんすい》のゴーレム連《つ》れてるのよ
すいませ——ん
クロス・マリアン神父《しんぷ》の紹介《しょうかい》で来《き》たアレン・ウォーカーです
教団《きょうだん》の幹部《かんぶ》の方《かた》に謁見《えっけん》したいのですが

ざわ
カチ
元帥《げんすい》の知《し》り合《あ》いだ！
ざわ
あの人《ひと》生《い》きてたのか
「紹介《しょうかい》」って言《い》ってますけど室長《しっちょう》 何《なに》か聞《き》いてます？
ず
………
知《し》らない
後《うし》ろの門番《もんばん》の身体検査《しんたいけんさ》 受《う》けて
Gate keeper
え
ひっ
………
………
どうも

レントゲン検査《けんさ》！
アクマか人間《にんげん》か判別《はんべつ》!!
わっ
?
!?
映《うつ》らない？
バグか!?

こいつアウトォォオオ!!!

へっ!?
こいつバグだ!
額《ひたい》のペンタクルに呪《のろ》われてやがる!アウトだアウト!!
ペンタクルはアクマの印《マーク》!!
こいつ奴等《やつら》の…
千年伯爵《せんねんはくしゃく》の仲間《なかま》(カモ)だー!!!
んなっ?
なにぃ――!?
スパイ侵入《しんにゅう》スパイ侵入《しんにゅう》!
おい 城内《じょうない》のエクソシストは……
65
大丈夫《だいじょうぶ》じゃ

神田《カンダ》がもう着《つ》いたわ
ピッ
!?

一匹《いっぴき》で来《く》るとはいー度《ど》胸《きょう》じゃねぇか…
ちょっ
ちょっと待《ま》って!!
何《なに》か誤解《ごかい》されて…
!!

なっ…
!

痛っ痛っ?
!?
対《たい》アクマ武器《ぶき》に
傷《きず》が!!
アクマの砲弾《ほうだん》でも
ビクともしないのに
たった一撃《いちげき》で…!?
まさか
あの刀《かたな》…
……
お前《まえ》…
その腕《うで》は
なんだ?

……対《たい》アクマ武器《ぶき》ですよ
僕《ぼく》はエクソシストです
何《なに》？
門番《もんばん》!!!
いあっでもよ
中身《なかみ》がわかんねェんじゃしょうがねェじゃん！アクマだったらどーすんの!?
僕《ぼく》は人間《にんげん》です！
確《たし》かにチョット呪《のろ》われてますけど立派《りっぱ》な人間《にんげん》ですよ!!
ギャアアアア触《さわ》んなボケェ!!
ギャーギャー
ふん…まあいい

中身《なかみ》を見《み》ればわかることだ
対《たい》アクマ武器《ぶき》発動《はつどう》!!
刀型《かたながた》の対《たい》アクマ武器《ぶき》!!
この「六幻《ムゲン》」で斬《き》り裂《さ》いてやる

待《ま》って
ホント待《ま》って!
僕《ぼく》はホントに
敵《てき》じゃない
ですって!
クロス師匠《ししょう》から
紹介状《しょうかいじょう》が送《おく》られてる
はずです!!
元帥《げんすい》から…?
紹介状《しょうかいじょう》…?
そう
紹介状《しょうかいじょう》…
怖《こ》っえ~
コムイって人《ひと》
宛《あ》てに

そこのキミ！
び
しっ
は はい？
ボクの机《つくえ》調《しら》べて！
アレをっスか…
コムイ兄《にい》さん
コムイ室長《しっちょう》……
ボクも手《て》伝《つだ》うよ
From Cross
へ
ろ
あった！ありましたぁ!!
クロス元帥《げんすい》からの手《て》紙《がみ》です！

読《よ》んで!
"コムイへ 近々《ちかぢか》アレンというガキをそっちに送《おく》るのでヨロシクな BY《バイ》クロス" です
はい! そーゆうことです
リーバー班長《はんちょう》 神田《カンダ》くん止《と》めて!
コーヒーおかわりしよっと
たまには机《つくえ》整理《せいり》してくださいよ!!
神田《カンダ》 攻撃《こうげき》を止《や》めろ!
ピコ
ピコ
リナリー
ちょっと準備《じゅんび》を手伝《てつだ》って
久々《ひさびさ》の入団者《にゅうだんしゃ》だ

かっ
開門《かいもん》んん〜〜〜〜？

あの人《クロス》が出《だ》してきた子《こ》か…
鑑定《かんてい》しがいがありそうだ♬

コムイ・リー

中国人《チャイニーズ》　29歳
身長　193cm
体重　79kg
バースデー　6月13日
双子座のAB型
好奇心旺盛な(?)
若き天才科学者
…みたいな。

この時代の科学者というのは
魔術師や錬金術師のことを
さしていた傾向がありました。
よって、教団にあるゴーレムや
色んな変なモノは、みんな彼ら
科学班の魔術師たちが
造ったものです。

なんでこんな変人に
なっちゃったかな
コムイさん…。
実はこの人は
担当吉田氏を
モデルにした
キャラでした。
言っていいのかな
コレ…。

第《だい》6夜《や》　入城《にゅうじょう》

第《だい》6夜《や》 入城《にゅうじょう》

わっ
待《ま》って待《ま》って神田《カンダ》くん
コムイか…どういうことだ
ごめんね—— 早《はや》トチリ！ その子《こ》クロス元帥《げんすい》の弟子《でし》だった
ほら 謝《あやま》ってリーバー班長《はんちょう》
オレのせいみたいな言《い》い方《かた》——!!
いたたたたた
ティムキャンピーが付《つ》いてるのが何《なに》よりの証拠《しょうこ》だよ
彼《かれ》はボクらの仲間《なかま》だ

も――
やめなさいって言《い》ってるでしょ!
早《はや》く入《はい》らないと門《もん》閉《し》めちゃうわよ
……
入《はい》んなさい!
ガシャン

私《わたし》は室長助手《しっちょうじょしゅ》のリナリー
室長《しっちょう》の所《ところ》まで案内《あんない》するわね
よろしく
くるっ
スタ スタ スタ スタ
あ
カンダ
ギラ
……って名前《なまえ》でしたよね…？
よろしく

呪《のろ》われてる奴《やつ》と握手《あくしゅ》なんかするかよ
差別《さべつ》…
ごめんね 任務《にんむ》から戻《もど》ったばかりで気《き》が立《た》ってるの
新入《しんい》りか…
なんだ 子供《ガキ》じゃねェか

老人《ろうじん》かと思《おも》ったら… なんだ あの髪《かみ》
呪《のろ》われてるらしいぞ
…なんか言われてる
大丈夫《だいじょうぶ》かよ あんなガキで…
まあ イノセンスに年齢《ねんれい》は関係《かんけい》ないからな
アレン…
ウォーカーか…
ここが黒《くろ》の教団《きょうだん》

ここは食堂《しょくどう》
このフロアは修錬場《しゅうれんじょう》3階層《かいそう》に渡《わた》ってあるの
談話室《だんわしつ》
他《ほか》にも療養所《りょうようじょ》や書室《しょしつ》各自《かくじ》の部屋《へや》もあるからあとで案内《あんない》するね
部屋《へや》が与《あた》えられるんですか!?

エクソシストは皆《みんな》
ここから任務《にんむ》へ
向《む》かうの
だから本部《ほんぶ》のことを
「ホーム」って呼《よ》ぶ人《ひと》も
いるわ
出《で》て行《い》ったきり
わざと帰《かえ》ってこない人《ひと》も
いるけど
師匠《ししょう》です
………
ホームか………
あ! ここの階《フロア》は
どんな部屋《へや》が
あるんですか?
ここは いいの
さ
早《はや》く行《い》きましょ
?
ここは
コムイ室長《しつちょう》の
プライベートな
実験場《じっけんじょう》である
見てけば いいのに〜
はい?
いいの

ちこーーーーん
はい どーもぉ
科学班室長《かがくはんしつちょう》のコムイ・リーです!
歓迎《かんげい》するよ アレンくん
いやー さっきは大変《たいへん》だったね〜
誰《だれ》のせいだ…
じゃ 腕《うで》診《み》せてくれるかな
え?
さっき 神田《カンダ》くんに襲《おそ》われた時《とき》武器《ぶき》を損傷《そんしょう》したでしょ
我慢《がまん》しなくていいよ

ビリ
ビリ
ふむ
神経《しんけい》が侵《おか》されてるね
やっぱり
リナリー
麻酔《ますい》もってきて
発動《はつどう》できる?
あ はい
発動《はつどう》!
お
ふむ

キミは寄生型《きせいタイプ》だね！
寄生《きせい》…型《タイプ》？
ゴッ
うん 人体《じんたい》を武器化《ぶきか》する適合者《てきごうしゃ》のこと
数《かず》ある対《たい》アクマ武器《ぶき》の中《なか》で最《もっと》も珍《めずら》しい型《タイプ》だよ
科学班
寄生型《きせいタイプ》の適合者《てきごうしゃ》は肉体《にくたい》が武器《ぶき》と同調《シンクロ》してる分《ぶん》その影響《えいきょう》を受《う》けやすいんだよね
その装備《そうび》はなんですか？
ん？修理《しゅうり》
ちょっとショッキングだから
ギ
トラウマになりたくなかったら見《み》ない方《ほう》がいいよ
待《ま》っ待《ま》って…

Go《ゴー》♬
ギャー
始《はじ》まった…
残酷《ざんこく》…
コムイ兄《にい》さん この後《あと》 あそこに 行《い》くんでしょ？
アレンくん 一応《いちおう》 人間《にんげん》か検査《けんさ》しなくて いいの？
ん？ いいよいいよ 人間《にんげん》だから
どうして？
この世界《せかい》で 呪《のろ》いなんて受《う》ける種族《しゅぞく》は 人間《にんげん》だけだからだよ

明日《あした》まで麻酔《ますい》で動《うご》かないけどちゃんと治《なお》ったからね♪
ず〜ん
もう絶対《ぜったい》腕壊《うでこわ》すもんか…
まあまあ
副作用《ふくさよう》はあるけど寄生型《きせいタイプ》はとってもレアなんだよ〜〜〜〜
イノセンスの力《ちから》を最《もっと》も発揮《はっき》できる選《えら》ばれた存在《そんざい》なんだ
？
いのせんす？

それは神《かみ》のイノセンス
全《ぜん》知《ち》全能《ぜんのう》の力《ちから》なり
カッ
!?
またひとつ…我《われ》らは神《かみ》を手《て》に入《い》れた…
ボクらのボス大元帥《だいげんすい》の方々《かたがた》だよ
さあ キミの価値《かち》を あの方々《かたがた》に お見《み》せするんだ
…え?

なっ…!?
イ…イ…
…イノ…
イノセンス…

なんだコレ…っ
十字架《じゅうじか》よ 発動《はつどう》しろ！
無理《ムリ》ムリ
麻酔《ますい》で明日《あした》まで
動《うご》かないって
言《い》ったでしょ
！
コムイさん…っ
ニコ
キミの十字架《じゅうじか》は
とっても すばらしいよ
アレン♬
どうだい
ヘブラスカ？

この神《かみ》の使徒《しと》は
キミのお気《き》に召《め》すかな？

リナリー・リー

中国人《チャイニーズ》　16才
身長　166cm
体重　48kg
バースデー　2月20日
魚座の　B型

この子は アレン同様 かなり
前から できてた キャラです。
あ、いや、アレンよりも前かな。

女の子用の団服は
かなり デザインに
悩みました。でも
おかげで 満足
してます。

リナリーにも一応
理想っていうか
モデルにした人
がいるんですが、
担当氏に鼻で
笑われたので
もう 誰にも
口外しないと
誓いました。

第《だい》7夜《や》 判明《はんめい》と行《ゆ》く先《さき》

くっ
気《き》持《も》ち悪《わる》い…
なんなんだ
これ！
体《からだ》の中《なか》を
何《なに》かに探《さぐ》られてる
感触《かんしょく》…!!
動《うご》け!!

麻酔《ますい》で動《うご》かせないよ〜〜〜
何《なん》のつもりだ、あの人《ひと》
麻酔《ますい》ぐらい……っ
動《うご》け！発動《はつどう》するんだ!!
この…
動《うご》け!!!

うっ
うわぁあああああ
!
な…なんて子《こ》だ
麻酔《ますい》を…
ゔあっ
し…神経《しんけい》が
マヒしてるのに
む…無理《むり》に…
発動《はつどう》しちゃ…ダメだ!
落《お》ち着《つ》いて…
私《わたし》は敵《てき》じゃ…ない
キィィ
発動《はつどう》は…
対《たい》アクマ武器《ぶき》と…
適合者《てきごうしゃ》がちゃんと…
シンクロできてなければ
とても危険《きけん》なんだぞ…

…2%《パーセント》…16%《パーセント》
30…41…
58…
78…83%《パーセント》！
！
もう平気《へいき》だろう…どうやら83%《パーセント》が今《いま》お前《まえ》と武器《ぶき》とのシンクロ率《りつ》の最高値《さいこうち》のようだ…
シンクロ率《りつ》？
対《たい》アクマ武器《ぶき》発動《はつどう》の生命線《せいめいせん》となる数値《すうち》だ…
シンクロ率《りつ》が低《ひく》いほど発動《はつどう》は困難《こんなん》となり適合者《てきごうしゃ》も危険《きけん》になる…

すとっ
おどかすつもりは無《な》かった…
私《わたし》はただ…
お前《まえ》のイノセンスに触《ふ》れ知《し》ろうとしただけだ…
?
僕《ぼく》の…
イノセンスを知《し》る…？
アレン・ウォーカー…
お前《まえ》のイノセンスはいつか黒《くろ》い未来《みらい》で偉大《いだい》な「時《とき》の破壊者《はかいしゃ》」を生《う》むだろう…
私《わたし》にはそう感《かん》じられた………
それが私《わたし》の能力《ちから》…
破壊《はかい》…者《しゃ》？
ぱち
ぱち
ぱち
すごいじゃないか♪

ぱち
ぱち
それは きっとキミの事《こと》だよ〜！ヘブラスカの「預言《よげん》」はよく当《あ》たるんだから
いや〜〜〜アレンくんには期待《きたい》できそうだね
コムイさん
一発《いっぱつ》殴《なぐ》っていいですか？
やだな♬もう殴《なぐ》ってるよん
いーパンチだー
ごめんごめんビックリしたんだね怖《こわ》かったんだねわかるよ〜〜〜
ヘブくん顔怖いもんね
しゅううううううううう
入団《にゅうだん》するエクソシストはヘブラスカにイノセンスを調《しら》べてもらうのが規則《きそく》なんだよ
そーゆうことは初《はじ》めに言《い》ってくださいよ!!
イノセンスって一体《いったい》なんの事《こと》なんですか？

ちゃんと説明《せつめい》するよ
イノセンスはこれから戦《たたか》いに投《とう》じるキミ達《たち》エクソシストに深《ふか》く関《かか》わる話《モノ》だからね
この事実《ハナシ》を知《し》ってるのは黒《くろ》の教団《きょうだん》とヴァチカン
そして千年伯爵《せんねんはくしゃく》だけだ
すべては約百年前《やくひゃくねんまえ》
ひとつの石箱《キューブ》が発見《はっけん》されてから始《はじ》まった

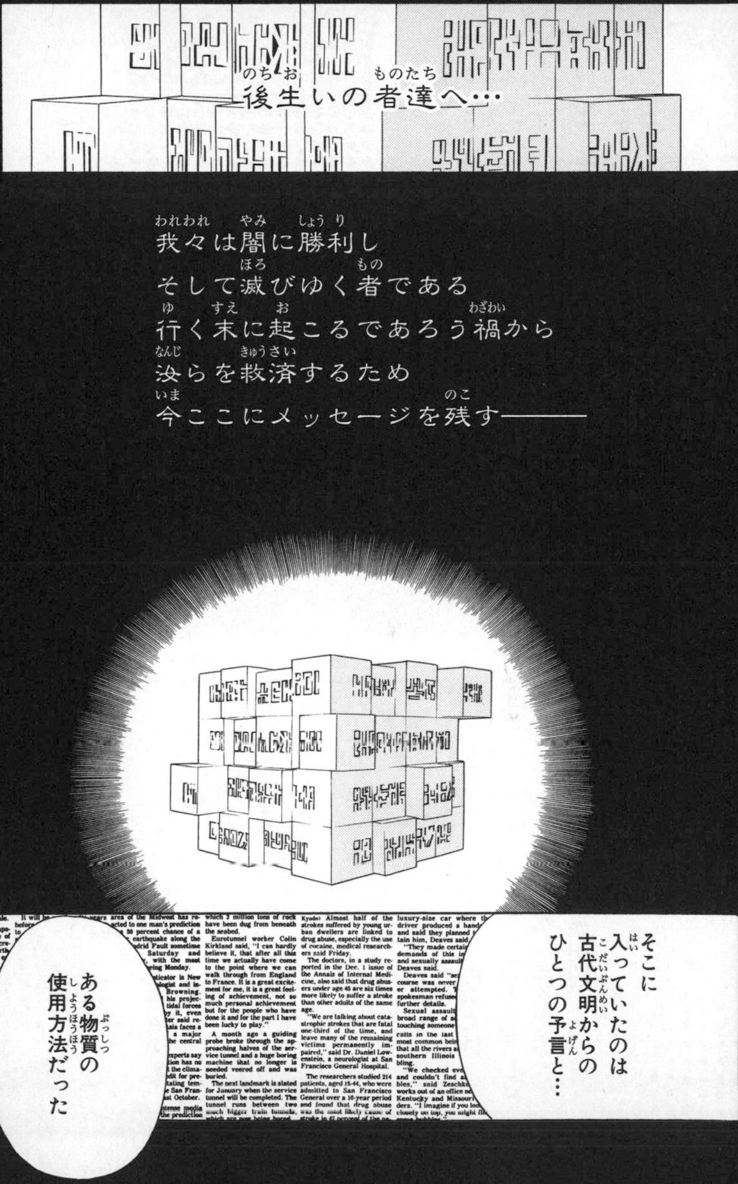
後生《のちお》いの者達《ものたち》へ…
我々《われわれ》は闇《やみ》に勝利《しょうり》し
そして滅《ほろ》びゆく者《もの》である
行《ゆ》く末《すえ》に起《お》こるであろう禍《わざわい》から
汝《なんじ》らを救済《きゅうさい》するため
今《いま》ここにメッセージを残《のこ》す———
そこに入《はい》っていたのは古代文明《こだいぶんめい》からのひとつの予言《よげん》と…
ある物質《ぶっしつ》の使用方法《しようほうほう》だった

ある物質《ぶっしつ》って?
その石箱《キューブ》自体《じたい》も・・それだったんだが
「神《かみ》の結晶《けっしょう》」と呼《よ》ばれる不思議《ふしぎ》な力《ちから》を帯《お》びた物質《ぶっしつ》でね
ボク達《たち》は「イノセンス」と呼《よ》んでる
キミの左手《ひだりて》にある十字架《じゅうじか》のことだよ
!!
対《たい》アクマ武器《ぶき》とはイノセンスを加工《かこう》し武器化《ぶきか》したものの呼称《こしょう》なんだ

石箱《キューブ》の作《つく》り手《て》は そのイノセンスをもって 魔《ま》と共《とも》に訪《おとず》れた 千年伯爵《せんねんはくしゃく》と戦《たたか》い 打《う》ち勝《か》った者《もの》だという
伯爵《はくしゃく》…!!
だが 結局《けっきょく》 世界《せかい》は一度《いちど》 滅《ほろ》んでしまった
約《やく》7000年前《ねんまえ》 旧約聖書《きゅうやくせいしょ》に記《しる》された 「ノアの大洪水《だいこうずい》」が それだ
石箱《キューブ》は それを 「暗黒《あんこく》の三日間《みっかかん》」と 記《しる》しているけどね
そして 石箱《キューブ》の予言《よげん》に よると
世界《せかい》は再《ふたた》び 伯爵《はくしゃく》によって 終末《しゅうまつ》を迎《むか》える らしい
「暗黒《あんこく》の三日間《みっかかん》」の 再来《さいらい》!!

現在《げんざい》 予言通《よげんどお》り 伯爵《はくしゃく》は この世界《せかい》に 再来《さいらい》した
ヴァチカンは この事実《じじつ》により 石箱《キューブ》のメッセージに 従《したが》うことにしたんだ
それが イノセンスの復活《ふっかつ》と 黒《くろ》の教団《きょうだん》の設立《せつりつ》
使徒《しと》を集《あつ》めよ！ イノセンスは ひとつにつき ひとりの使徒《しと》を選《えら》ぶ
それすなわち 「適合者《てきごうしゃ》」!!
Accommodate
「適合者《てきごうしゃ》」なくば イノセンスは その力《ちから》を 発動《はつどう》しない!!
イノセンスの適合者《てきごうしゃ》 それが キミ達《たち》 エクソシストのことだ

だが伯爵《はくしゃく》もまた過去《かこ》を忘《わす》れていなかった
神《かみ》を殺《ころ》す軍団《ぐんだん》を造《つく》り出《だ》してきたんだ
それがAKUMA《アクマ》
あの兵器《へいき》はイノセンスが白《しろ》ならば黒《くろ》の存在《そんざい》である暗黒物質《あんこくぶっしつ》「ダークマター」で造《つく》られている
進化《しんか》すればするほどその物質《ぶっしつ》は成長《せいちょう》し強化《きょうか》されていく
伯爵《はくしゃく》はイノセンスを破壊《はかい》しその復活《ふっかつ》を阻止《そし》するつもりだ

イノセンスはノアの大洪水《だいこうずい》により世界中《せかいじゅう》に飛散《ひさん》した!!!
その数《かず》は全部《ぜんぶ》で109個《こ》
我々《われわれ》は まず各地《かくち》に眠《ねむ》っているイノセンスを回収《かいしゅう》し伯爵《はくしゃく》を倒《たお》せるだけの戦力《せんりょく》を集《あつ》めなければならない
伯爵《はくしゃく》もまたイノセンスを探《さが》し破壊《はかい》すべく動《うご》いている
イノセンスの争奪戦争《そうだつせんそう》だ

我々《われわれ》がこの聖戦《せいせん》に負《ま》けた時《とき》終末《しゅうまつ》の予言《よげん》は現実《げんじつ》となる
戦《たたか》え
それがイノセンスに選《えら》ばれたお前《まえ》の宿命《しゅくめい》…
宿命《しゅくめい》なのだ………

ま
そんなところだ
以上《いじょう》で長《なが》い説明《せつめい》は
おわり♪
すっ
一緒《いっしょ》に世界《せかい》の為《ため》に
がんばりましょう
一銭《いっせん》にも
なんないけどね
…はい
ギュッ
ようこそ
黒《くろ》の教団《きょうだん》へ!

RUSSLAND
ENGLAND
USA
AFRIKA
現在《げんざい》 エクソシストは キミの入団《にゅうだん》で 19人《にん》となった
ほとんどは世界各地《せかいかくち》に 任務《にんむ》で点在《てんざい》してるけど そのうち会《あ》えることも あるだろう
ちなみに ヘブラスカも エクソシストの ひとりだよ
……
えっ!?
お前達《まえたち》と… タイプは だいぶ違《ちが》うが……
私《わたし》は 例《れい》の石箱《キューブ》の 適合者《てきごうしゃ》として… 教団《きょうだん》の創設時《そうせつじ》から ずっといる イノセンスの番人《ばんにん》だ…
たくさんの… エクソシストと 出会《であ》ってきた……
アレン… お前《まえ》に
神《かみ》の加護《かご》が あらんことを…

ふ――
ドサッ
…………
ティムキャンピーはどこ行《い》ったのかな…
やっと…ここまで来《き》たよマナ

やっとスタートラインだ
「立《た》ち止《ど》まるな」「歩《ある》き続《つづ》けろ」
あんたがいつも言《い》ってた言葉《ことば》…
宿命《しゅくめい》なんて関係《かんけい》ない
これは僕《ぼく》が自分《じぶん》の意志《いし》で選《えら》んだ道《みち》だ
誓《ちか》うよ…何《なに》があっても立《た》ち止《ど》まらない
命《いのち》が尽《つ》きるまで歩《ある》き続《つづ》けていく
1 opening(完)

アレンは不気味《ぶきみ》な部屋《へや》を見《み》つけた！

コムイ室長《しつちょう》の実験場《じっけんじょう》　潜入報告書《せんにゅうほうこくしょ》

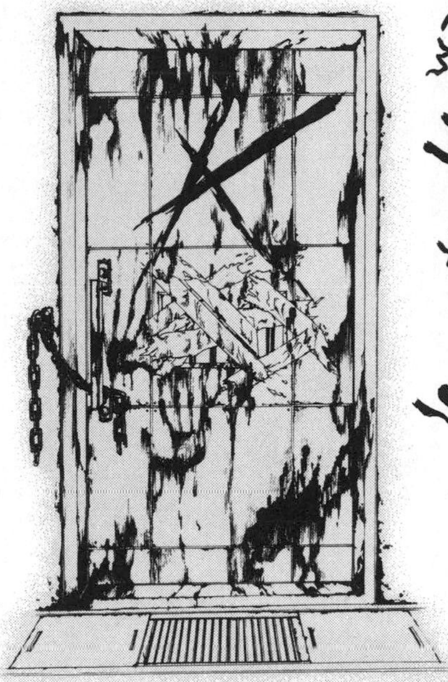

→記入者《きにゅうしゃ》・徹夜残業《てつやざんぎょう》のリーバー班長《はんちょう》

どうもこんばんわ
えーと、室長《しつちょう》の部下《ぶか》の
リーバー・ウェンハムでっす。
えー、今回俺《こんかいおれ》は禁断《きんだん》のフロア
コムイ室長《しつちょう》のプライベート実験室《じっけんしつ》に
潜入《せんにゅう》することになりました…。
つーか なんで俺《おれ》なんだよ。
オカシイだろ、普通《ふつう》
主人公《しゅじんこう》のアレンが行《い》くもんじゃ
ねーのかよ。
これ、俺《おれ》無事《ぶじ》に戻《もど》れんスか？
リーバー・ウェンハムでいられんの 俺《おれ》？
あきらかに変《へん》な音出《おとで》てるんスよ？
つーか このドアはもう
人間《にんげん》の入《はい》るドアじゃないって。
オカシイって。ヤバイって。
これ以上《いじょう》 あの人《ひと》の変質《へんしつ》っぷり
知《し》っちゃったら 仕事《しごと》できないよ 俺《おれ》。
マジで… ホントに
帰《かえ》らしてください。　以上《いじょう》。

入城許可報告書《にゅうじょうきょかほうこくしょ》

まったくとんだ災難《さいなん》だぜ。
あのアレンとかいう奴《やつ》のせいで
今日《きょう》は一日最悪《いちにちさいあく》な気分《きぶん》になっちまった。
見《み》てろよあんニャロ
今度絶対仕返《こんどぜったいしかえ》ししてやる。

くそっあいつが触《さわ》ったおかげで
アゴにぶつぶつが…
……。
うが！ かゆ！
アゴかいい!!
あいつのせいだアアアアア!!
ギャアアアかゆいかゆいかゆいかゆいかゆい
かいちゃダメだけどかいちゃえ…。
…あれっオレって手《て》ェないじゃーん!!!

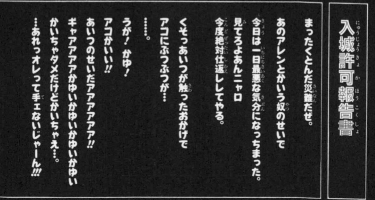

スペシャルThanks

あべっち　グンマ
大竹くん　清
十キちゃん　アキボン
田井さん　立川 浩
　おケイ
吉田氏　マメワカメ
小林さん　モチ

星野《ほしの》桂《かつら》先生《せんせい》に応援《おうえん》のお便《たよ》りを!!
あて先《さき》
〒101−8050
東京都千代田区一ツ橋2−5−10
集英社 週刊少年ジャンプ編集部

目的地は、
「神《かみ》に見《み》離《はな》された土《ど》地《ち》」
テール・・・
待ち受《う》ける奇《き》怪《かい》とは・・・!?
ディー・グレイマン
D.Gray-man
第《だい》2巻《かん》、大《だい》好《こう》評《ひょう》発《はつ》売《ばい》中《ちゅう》!!

■ジャンプ・コミックス

D.Gray-man

1 opening

2004年10月9日　第1刷発行
2007年2月6日　第20刷発行

著者　星野　桂

編集　ホーム社
東京都千代田区一ツ橋2丁目5番10号
〒101-8050
電話　東京　03(5211)2651

発行人　鳥嶋和彦

発行所　株式会社　集英社
東京都千代田区一ツ橋2丁目5番10号
〒101-8050
03(3230)6233(編集部)
電話　東京　03(3230)6191(販売部)
03(3230)6076(読者係)
Printed in Japan

印刷所　中央精版印刷株式会社

ISBN4-08-873691-5 C9979